T'es branché? 3

Workbook

Teacher's Edition

With the collaboration of Jacques Pécheur

EMC Publishing

ST. PAUL

Editorial Director: Alejandro Vargas
Developmental Editor: Diana I. Moen
Associate Editor: Nathalie Gaillot, Gretchen Petrie
Production Editor: Bob Dreas

Cover Design: Leslie Anderson
Design and Production Specialist: Leslie Anderson
Illustrations: Marty Harris, TSI Graphics

Special acknowledgments: Microsoft Office Online

Care has been taken to verify the accuracy of information presented in this book. However, the authors, editors, and publisher cannot accept responsibility for Web, e-mail, newsgroup, or chat room subject matter or content, or for consequences from application of the information in this book, and make no warranty, expressed or implied, with respect to its content.

We have made every effort to trace the ownership of all copyrighted material and to secure permission from copyright holders. In the event of any question arising as to the use of any material, we will be pleased to make the necessary corrections in future printings. Thanks are due to the aforementioned authors, publishers, and agents for permission to use the materials indicated.

ISBN 978-0-82196-517-7

© by EMC Publishing, LLC
875 Montreal Way
St. Paul, MN 55102
Email: educate@emcp.com
Website: www.emcp.com

Printed in the United States of America

22 21 20 19 18 17 16 15 14   2 3 4 5 6 7 8 9 10

CONTENTS

Unité 1

Leçon A

1 Dites qu'il/elle a l'air…. Continuez votre phrase avec une des expressions suivantes.

être triste	être fâché(e)	détester	réfléchir	être affolé(e)	être content(e)

MODÈLE: Marie-Pierre sourit.
Elle a l'air d'être contente.

1. Papa semble furieux.

   Il a l'air d'être fâché.

2. Thomas pense à son devoir de maths.

   Il a l'air de réfléchir.

3. La petite fille ne sourit pas et va commencer à pleurer.

   Elle a l'air d'être triste.

4. Mme Dumas a un problème terrible. Elle fait de grands gestes.

   Elle a l'air d'être affolée.

5. Le petit enfant n'aime pas du tout les légumes que sa mère lui a servis. Il ne les mange pas.

   Il a l'air de détester les légumes.

6. Le bébé s'amuse.

   Il a l'air d'être content.

7. Diane a peur dans la maison hantée.

   Elle a l'air d'être affolée.

2 Dites les endroits que la personne fréquente. Finissez votre phrase en choisissant un mot ou une expression de la liste.

la discothèque	le ciné-club	le festival	le complexe sportif
un cours particulier	l'aquaparc	le skatepark	la MCJ

MODÈLE: Damien va voir un film.
Il fréquente le ciné-club.

1. Julian fait du skate tous les samedis.

   Il fréquente le skatepark.

2. M. Rondard va s'entraîner pour un marathon.

   Il fréquente le complexe sportif.

3. Le docteur t'a conseillé de nager deux fois par semaine.

   Tu fréquentes l'aquaparc.

4. Nous avons inscrit notre fille à plusieurs activités.

   Elle fréquente la MJC.

5. J'aime sortir tous les soirs pour danser avec ma copine.

   Je fréquente la discothèque.

6. Sophie a échoué à son contrôle d'anglais, alors elle étudie tous les soirs avec son prof.

   Elle fréquente un cours particulier.

7. C'est le 21 juin, et nous voulons voir le concert de Corneille dans la rue de la République.

   Nous fréquentons le festival.

3 Dites où vous avez rencontré vos amis d'après les illustrations.

MODÈLE:

Rachid

Je l'ai rencontré au ciné-club.

1. Salima et Andréa

2. Xavier

3. Alice

4. Sonia et Bertrand

5. Talia

6. Bob

7. M. et Mme Bérard

1. **Je les ai rencontrées à l'aquaparc.**

2. **Je l'ai rencontré au festival de musique.**

3. **Je l' ai rencontrée au complexe sportif.**

4. **Je les ai rencontrés à la discothèque.**

5. **Je l'ai rencontrée au skatepark.**

6. **Je l'ai rencontré à la MJC.**

7. **Je les ai rencontrés à la soirée de Khaled.**

4 Selon la situation, donnez des conseils à votre copain. Choisissez une expression de la liste qui suit, et commencez votre phrase par **Tu ferais bien de…**.

suivre un cours particulier	s'amuser un peu à la discothèque	aller chez le médecin
étudier pour les examens	manger	consulter ce livre
faire du sport	lui acheter un cadeau	

> **MODÈLE:** J'ai faim.
> **Tu ferais bien de manger.**

1. J'ai eu une mauvaise note.

   Tu ferais bien d'étudier pour les examens.

2. J'ai des frissons et je ne me sens pas bien.

   Tu ferais bien d'aller chez le médecin.

3. Demain, c'est l'anniversaire de mon cousin.

   Tu ferais bien de lui acheter un cadeau.

4. J'aimerais apprendre à dessiner comme Goscinny.

   Tu ferais bien de suivre un cours particulier.

5. Je suis stressé par toutes les corvées cette semaine.

   Tu ferais bien de t'amuser un peu à la discothèque.

6. Je dois faire un exposé pour le cours de littérature.

   Tu ferais bien de consulter ce livre.

7. Je ne suis pas très en forme, j'ai un peu grossi.

   Tu ferais bien de faire du sport.

Nom: _____ Date: _____

5 **Rencontres culturelles.** D'après le dialogue de la **Leçon A**, répondez **vrai** ou **faux**. Si la phrase est fausse, corrigez-la.

1. Karim est le frère d'un copain d'Élodie.

   Faux. Karim est le frère d'un copain de Léo.

2. Karim est un bon ami de Léo.

   Vrai.

3. Élodie et Karim ont aimé le même film.

   Faux. Ils n'étaient pas d'accord sur le film.

4. Léo attend Élodie après les cours.

   Faux. Karim attend Élodie après les cours.

5. La mère d'Élodie est déjà au courant de la relation entre Karim et Élodie.

   Vrai.

6 **Extension.** À partir de l'interview de la lycéenne dans la **Leçon A**, imaginez sa page Facebook.

Julie Lechamps   Accueil

Answers will vary.

Julie Lechamps
Modifier le profil

Favoris
Fil d'actualité
Messages
Événements
Photos

Applications
plus

Nom: _____ Date: _____

7 Identifiez les informations suivantes. Référez-vous aux **Points de départ** de la **Leçon A**.

1. *Le mode de vie des adolescents*

   A. Sports individuels pratiqués _Judo, natation, tennis._

   B. Sports collectifs pratiqués _Football, rugby, basket._

   C. Modes d'échanges préférés _Blogs, twitters, textos._

   D. Réseaux sociaux fréquentés _Facebook, la mode, la musique, le sport, la vidéo._

   E. Intérêts particuliers au groupe _Answers will vary._

   F. Goûts communs des jeunes _Answers will vary._

2. Faites la fiche de présentation de la MJC

   A. Activités _Le sport, la peinture, la musique, des séances de cinéma._

   B. Projets _Des expositions, des projets de bénévolat ._

   C. Aide _Aide sociale, aides de l'état._

   D. Inscription _Answers will vary._

   E. Adhésion _Raisonnables, les MJC sont partenaires de fédérations régionales et reçoivent des aides de l'état._

Nom: _____ Date: _____

8 Complétez les phrases suivantes avec la forme correcte du verbe en **–er**.

MODÈLE: Comment tu (trouver) **trouves** la fille?
Je la **trouve** très belle.

1. Qu'est-ce que vous (chercher) ___cherchez___ ?

Nous ___cherchons___ la discothèque.

2. Quel film est-ce que tes parents (regarder) ___regardent___ ?

Ils ___regardent___ une comédie dramatique.

3. Qui est-ce qui t' (accompagner) ___accompagne___ à l'aquaparc?

Ma sœur et sa copine m' ___accompagnent___ .

4. Toi et ton frère, vous (jouer) ___jouez___ au football?

Oui, nous ___jouons___ au foot.

5. Qu'est-ce que tu me (conseiller) ___conseilles___ de faire?

Je te ___conseille___ de partir.

9 Complétez avec un verbe régulier en **–ir**.

MODÈLE: Tu (choisir) **choisis** de travailler à la ferme de ton grand-père cet été?
Oui, je (choisir) **choisis** de le faire volontiers.

1. Quand est-ce que les élèves (finir) ___finissent___ l'année scolaire?

Ils la (finir) ___finissent___ à la fin du mois de juin.

2. À la ferme, vous (nourrir) ___nourrissez___ les animaux tous les jours?

Oui, nous les (nourrir) ___nourrissons___ tous les matins.

3. Et les petits chevaux que ta sœur aime tellement, est-ce qu'ils (grandir) ___grandissent___ ?

Oui, et ma sœur (grandir) ___grandit___ aussi.

4. À quoi est-ce que tu (réfléchir) ___réfléchis___ en ce moment?

Je (réfléchir) ___réfléchis___ aux bons moments de l'été à venir.

5. Je suis fâché, je ne (choisir) ___choisis___ jamais la musique quand on organise une fête!

Alors, qui la (choisir) ___choisit___ ?

10 Complétez avec le verbe régulier en –**re**.

MODÈLE: Qu'est-ce que tu (attendre) **attends**?
J'**attends** le résultat des examens.

1. Tu (entendre) _____**entends**_____ quoi?

   J' _____**entends**_____ les oiseaux qui chantent.

2. Vous (vendre) _____**vendez**_____ des billets pour le spectacle?

   Oui, nous en _____**vendons**_____.

3. Il (répondre) _____**répond**_____ à toutes les questions?

   Non, il n'y _____**répond**_____ pas toujours.

4. Est-ce que ces étudiants (rendre) _____**rendent**_____ leurs devoirs au professeur tous les jours?

   Oui, ils les _____**rendent**_____ comme il faut.

11 Qu'est-ce qu'ils font? Complétez avec le présent du verbe entre parenthèses.

1. Je _____**regarde**_____ un film sur mon ordinateur portable. (regarder)

2. Nous _____**écoutons**_____ de la musique avec notre lecteur MP3. (écouter)

3. Nos grands-parents _____**vendent**_____ leur voiture. (vendre)

4. Il _____**finit**_____ ses devoirs avant le cours de français. (finir)

5. Jasmina _____**répond**_____ au téléphone dans sa chambre. (répondre)

6. Vous _____**attendez**_____ vos copains avant de prendre le bus? (attendre)

7. Tu _____**agis**_____ vite quand tu as un problème! (agir)

8. Les serveurs _____**travaillent**_____ au restaurant ce soir. (travailler)

Nom: _____ Date: _____

12 Complétez chaque phrase avec le présent d'**aller**, **avoir**, **être**, ou **faire**.

MODÈLE: Qu'est-ce que vous **faites** ce soir?

1. D'abord, je _____**fais**_____ mes devoirs.

2. Après, mes amis et moi, nous _____**allons**_____ au cinéma.

3. J'_____**ai**_____ déjà nos billets.

4. Après, vous _____**êtes**_____ invités à prendre un café avec nous.

5. Sylvie _____**va**_____ aussi au café avec nous.

6. Est-ce que vous _____**avez**_____ d'autres amis qui veulent venir au café?

7. Tu _____**es**_____ vraiment sympa, Robert. J'invite aussi Coralie.

13 Complétez la question avec le présent du verbe irrégulier entre parenthèses.

MODÈLE: Où est-ce que tu **vas**? (aller)

1. Qu'est-ce que vous _____**avez**_____? (avoir)

2. Qu'est-ce que nous _____**buvons**_____? (boire)

3. Est-ce que vous _____**venez**_____ avec nous? (venir)

4. Ah, les sœurs Dumartin, qu'est-ce qu'elles _____**deviennent**_____? (devenir)

5. Qu'est-ce que vous _____**dites**_____? Je ne comprends pas.(dire)

6. Qu'est-ce que vos élèves _____**écrivent**_____? (écrire)

7. Qu'est-ce que vous _____**savez**_____ sur la Renaissance? (savoir)

8. Qu'est-ce tu _____**peux**_____ faire pour aider ton ami? (pouvoir)

9. Qu'est-ce que vous _____**voulez**_____ acheter? (vouloir)

10. Est-ce que je _____**prends**_____ le métro ou le bus pour visiter Paris? (prendre)

11. Qu'est-ce que tu _____**lis**_____ tous les soirs? (lire)

12. Où est-ce que les Marocains _____**vivent**_____? (vivre)

13. Quand est-ce que nous _____**partons**_____? (partir)

14. Jusqu'à quelle heure est-ce que vous _____**dormez**_____ demain matin? (dormir)

15. Quand est-ce que tu _____**sors**_____ avec moi? (sortir)

14 Selon la réponse, retrouvez la question en complétant avec **depuis quand** ou **depuis combien de temps**.

MODÈLE: **Depuis quand** parle-t-il?
Il parle depuis 14h00.

1. **Depuis combien de temps** vis-tu à Paris?

Je vis à Paris depuis trois ans.

2. **Depuis quand** m'attends-tu?

Je t'attends depuis midi.

3. **Depuis quand** est-ce que tu travailles sur cette leçon?

Je travaille sur cette leçon depuis le début de la soirée.

4. **Depuis quand** est-ce que tu écris ce texte?

J'écris ce texte depuis 9h00 du matin.

5. **Depuis combien de temps** cherches-tu ce DVD?

Je cherche ce DVD depuis plusieurs années.

6. **Depuis combien de temps** est-ce que tu es mariée?

Je suis mariée depuis trois ans.

7. **Depuis quand** travailles-tu?

Je travaille depuis huit heures du matin.

Leçon B

1 D'après la situation décrite, indiquez s'il s'agit d'**une famille nucléaire, une famille monoparentale,** ou **une famille recomposée.**

MODÈLE: Ça a toujours été mon père, ma mère et moi. **une famille nucléaire**

1. Je vis tout seul avec ma mère. _une famille monoparentale_

2. J'ai grandi avec le fils de la seconde femme de mon père. _une famille recomposée_

3. Cet homme élève seul son fils. _une famille monoparentale_

4. Toutes les deux semaines, Amélie se retrouve avec son beau-père. _une famille recomposée_

5. Ce couple a eu deux enfants. _une famille nucléaire_

6. Je passe une semaine chez mon père et une semaine chez ma mère. Ils sont tous les deux remariés. _une famille recomposée_

7. C'est ma mère qui m'a élevée. _une famille monoparentale_

2 Qu'est-ce qu'ils aiment faire? Complétez avec le verbe qui manque.

MODÈLE: Yves aime **courir** très vite quand il joue au foot.

1. Jacqueline préfère _____collectionner_____ les timbres dans un album.

2. Diana et Alex adorent _____faire_____ des châteaux de sable.

3. Ma petite cousine aime _____jouer_____ à la poupée.

4. Mon petit frère préfère _____faire semblant d'être_____ un super héros.

5. Et ma petite sœur, elle aime _____faire_____ semblant d'être une princesse.

6. Les élèves de la classe de Monsieur Gailleton aiment _____jouer_____ aux billes.

7. Je comprends que les petites filles adorent _____sauter_____ à la corde, mais pas dans la rue!

8. Nathaniel voudrait aller à la plage dimanche, parce qu'il aime _____collectionner_____ les coquillages.

3 Les personnes suivantes parlent de leurs activités enfantines. Complétez la phrase avec un mot ou une expression de la liste suivante.

jouer à la poupée	jouions à cache-cache	faire semblant d'être une princesse
faire des châteaux de sable	sauter	collectionner des coquillages
jouer à la marelle	être un super-héros	collectionner les petites voitures
courir		

1. Nous aimions <u>collectionner des coquillages</u> que nous trouvions à la plage.

2. Nous aimions aussi <u>faire des châteaux de sable</u> sur la plage.

3. Ma sœur aimait s'habiller en très jolies robes longues et <u>faire semblant d'être une princesse</u> qui habitait dans un grand château.

4. Mon petit frère aimait <u>faire semblant d'être un super-héros</u> qui sauvait les personnes en danger.

5. Moi, j'aimais jouer à la maman. J'aimais <u>jouer à la poupée</u>.

6. Moi et mes copines, nous aimions <u>sauter</u> à la corde.

7. Les enfants qui aiment sauter aiment aussi <u>jouer à la marelle</u>.

8. Pour gagner les matchs de foot ou de baseball, il faut <u>courir</u> vite.

9. Nous aimions chercher et trouver nos amis quand nous <u>jouions à cache-cache</u>.

10. Mon petit frère avait toute une collection de camions, de décapotables, et de monospaces en miniature. Il aimait <u>collectionner les petites voitures</u>.

4 **Rencontres culturelles.** Répondez aux questions d'après le dialogue de la **Leçon B.** Faites des phrases completes.

1. Karim a-t-il toujours habité à Nice?

   <u>Non, il n'a pas toujours habité à Nice.</u>

2. Quel était son sport préféré?

   <u>Son sport préféré était le foot.</u>

3. Quelles sont les différences entre la vie au village et la vie en ville?

   <u>*Answers will vary.*</u>

4. Quel est un loisir que Karim aimait faire en ville?

   <u>Il aimait aller au cinéma.</u>

5. Comment est-ce qu'il a rencontré Élodie?

   <u>Ils ont fréquenté le cinéma.</u>

5 Répondez aux questions suivantes. Référez-vous aux **Points de départ** de la **Leçon B**.

1. Quelle est l'action de l'État et des villes pour aider les familles qui ont des enfants?

   Answers will vary.

   _____

2. Quelles sont les principales évolutions du modèle familial en France?

   _____

   _____

3. Qu'est-ce qui caractérise la structure de la famille africaine?

   _____

   _____

4. Qu'est-ce qui fait de la Côte d'Azur une région mythique?

   _____

   _____

6 Conjuguez le verbe **courir** au présent de l'indicatif.

   Modèle: Tu **cours** souvent?

1. Oui, je _____cours_____ assez souvent

2. Et Élodie, elle _____court_____ toujours le weekend?

3. Non, elle ne _____court_____ plus.

4. Vous _____courez_____ beaucoup pour rester en forme?

5. Non, nous ne _____courons_____ pas beaucoup pour faire du sport, mais moi je

   _____cours_____ pour ne pas être en retard!

6. Regarde les gens qui quittent la manif, ils _____courent_____ où?

7. Je ne sais pas, mais toi, _____cours_____, parce que la police arrive.

7   Posez des questions en utilisant le **passé composé**.

        Modèle: tu/boire de l'eau minérale
                     Tu as bu de l'eau minérale?

1. tu/répondre au mail de la prof

 Tu as répondu à son e-mail _____?

2. il/nourrir le chien

 Il a nourri le chien _____?

3. ils/collectionner des timbres

 Ils ont collectionné des timbres _____?

4. vous/conduire toute la nuit

 Vous avez conduit toute la nuit _____?

5. elle/écrire à son frère

 Elle a écrit à son frère _____?

6. ils/croire à cette histoire

 Ils ont cru à cette histoire _____?

7. tu/connaître ses parents avant

 Tu as connu ses parents avant _____?

8. vous/lire le journal

 Vous avez lu le journal _____?

9. elles/faire leurs devoirs

 Elles ont fait leurs devoirs _____?

10. il/dire la vérité

 Il a dit la vérité _____?

11. tu/courir dans un marathon

 Tu as couru dans un marathon _____?

12. nous/être très surpris

 Nous avons été très surpris _____?

8 Complétez le récit avec un verbe au **passé composé**.

MODÈLE: Pour inviter des amis à mon anniversaire j'**ai envoyé** (envoyer) un message à tous mes amis.

Quand j' (1) _____ai ouvert_____ (ouvrir) mon ordinateur, j'(2) _____vu_____ (voir) beaucoup

de réponses. J'(3) _____ai pu_____ (pouvoir) enregistrer tous les messages d'amitié que j'

(4) _____ai reçus_____ (recevoir). Mes parents m' (5) _____ont offert_____ (offrir) de très beaux

cadeaux. J'(6) _____j'ai pris_____ (prendre) mon repas avec eux puis j'(7) _____ai reçu_____

(recevoir) mes amis pour une petite fête.

9 Avoir quelle note? Complétez chaque phrase avec le passé composé du verbe **avoir**.

MODÈLE: Quelle note tu as eue?
J'**ai eu 14** en français.

1. Et Magali?

   Elle _____a eu_____ 12 en histoire.

2. Et Jean-Paul?

   Il _____a eu_____ 15 en mathématiques.

3. Et les frères Topin?

   Ils _____ont eu_____ la même note.

4. Toi, tu _____as eu_____ combien?

   J' _____ai eu_____ 16 en biologie

5. Vous _____avez eu_____ combien en physique?

   Nous _____avons eu_____ la même note, 17.

10 Exprimez la succession des événements en écrivant une phrase avec **puis,** et avec les verbes au **passé composé**. Soyez logique!

> MODÈLE: Karim/faire la vaisselle /manger
> **Karim a mangé, puis il a fait la vaisselle.**

1. Elodie et son frère/jouer/ faire les devoirs

   Elodie et son frère ont fait leurs devoirs, puis ils ont joué.

2. Nous/lire le livre/écrire un résumé

   Nous avons lu le livre, puis nous avons écrit un résumé.

3. Elles/boire une limonade au café/ courir

   Elles ont couru, puis elles ont bu une limonade au café.

4. Élodie et moi/regarder une émission/ prendre le programme

   Élodie et moi avons pris le programme, puis nous avons regardé une émission.

5. Pierre/mettre un DVD /prendre la télécommande

   Pierre a mis un DVD, puis il a pris la télécommande.

11 Qu'est-ce que vous avez fait ce weekend? Racontez en complétant avec un verbe au **passé composé**.

J' (1) _____**ai conduit**_____ (conduire) la voiture de mes parents. Nous

(2) _____**avons dû**_____ (devoir) aller faire des courses au supermarché. Puis ma sœur et

moi, nous (3) _____**avons pu**_____ (pouvoir) regarder un film d'action. Ma sœur

(4) _____**a choisi**_____ (choisir) un film avec Daniel Craig. J'(5) _____**ai voulu**_____

(vouloir) sortir, mais il (6) _____**il a plu**_____ (pleuvoir). Il

(7) _____**a fallu**_____ (falloir) rester à la maison. Je (8) _____**n'ai pas pu**_____

(ne pas pouvoir) aller courir.

12 Dites ce que tout le monde a fait pendant les vacances en complétant chaque phrase avec un verbe au **passé composé**.

    MODÈLE: Vous **êtes allée** en vacances sur la Côte d'Azur, n'est-ce pas, madame? (aller)

1. Ma cousine, Nicole, _____est descendue_____ en voiture à Saint-Tropez. (descendre)

2. Mon oncle et ma tante _____sont montés_____ à la Sainte-Victoire. (monter)

3. Moi, Isabelle, je _____suis retournée_____ à Nice. (retourner)

4. Elles _____sont restées_____ à la plage toute la journée. (rester)

5. Tu _____es venue_____ seule, n'est-ce pas, Christine? (venir)

6. Vous _____êtes rentrés_____ tôt, n'est-ce pas, les garçons? (rentrer)

7. Mes copains _____sont revenus_____ encore une fois cette année. (revenir)

8. Tu _____es arrivé_____ tard, Robert. (arriver)

13 Racontez votre journée en complétant les phrases avec un verbe au **passé composé**. Faites attention! Est-ce que le verbe est conjugué avec **avoir** ou **être**?

    MODÈLE: Je **suis parti(e)** (partir) au lycée à 7h00. J' **ai pris** (prendre) le bus.

J'(1) _____ai retrouvé_____ (retrouver) mes copains et nous (2) _____sommes descendus_____

(descendre) devant le lycée. J'(3) _____ai suivi_____ (suivre) des cours jusqu'à

midi puis je (4) _____suis allé(e)_____ (aller) faire du sport. Avec mes copains nous

(5) _____avons couru_____ (courir) puis, nous (6) _____sommes partis_____ (partir)

rejoindre les filles au café. Nous (7) _____avons bu_____ (boire) des cocas. Je

(8) _____suis resté(e)_____ (rester) à la médiathèque jusqu'au départ du bus.

14 Complétez chaque phrase avec un verbe à **l'imparfait**.

> **MODÈLE:** Qu'est-ce que tu **faisais**? (faire)

1. Je _____ jouais _____ à la poupée. (jouer)

2. Tu _____ étais _____ avec ton père? (être)

3. Oui, mon père et moi nous _____ allions _____ au cinéma. (aller)

4. Qu'est-ce que vous _____ vouliez _____ voir? (vouloir)

5. Nous _____ avions _____ envie de revoir un vieux film de François Truffaut. (avoir)

6. Ah! c' _____ était _____ la séance du ciné-club. (être)

7. Avant, j'y _____ allais _____ souvent. (aller)

15 Quand j'étais petit…. Racontez à **l'imparfait**.

> **MODÈLE:** Quand j'étais petit, je **collectionnais** (collectionner) les photos des stars de cinéma et des joueurs de football.

J' (1) _____ aimais _____ (aimer) faire des châteaux de sable quand nous

(2) _____ allions _____ (aller) en vacances à la mer. Je (3) _____ lisais _____

(lire) surtout des romans historiques et avec ma sœur nous (4) _____ écoutions _____

(écouter) de la musique électro et de la « house. » Je (5) _____ jouais _____

(jouer) bien sûr au football : j' (6) _____ étais _____ (être) gardien de but.

Je (7) _____ voyais _____ (voir) aussi beaucoup de films. Une vraie passion.

16 Des chansons qui racontent une histoire à l'imparfait. Complétez les paroles de chansons avec un verbe à **l'imparfait**.

1. « Hier encore, j' _____ **avais** _____ (avoir) vingt ans, je _____ **caressais** _____ (caresser) le temps et _____ **jouais** _____ (jouer) de la vie. » (Charles Aznavour)

2. « Elle _____ **avait** _____ (avoir) des bagues à chaque doigt et des tas de bracelets autour du poignet. » (Jeanne Moreau)

3. « C'est une chanson qui nous ressemble, moi je t' _____ **aimais** _____ (aimer), toi tu m' _____ **aimais** _____ (aimer). » (Yves Montand)

4. « La place Rouge _____ **était** _____ (être) blanche, devant moi _____ **marchait** _____ (marcher) Nathalie, elle _____ **avait** _____ (avoir) un joli nom, mon guide, Nathalie. » (Gilbert Bécaud)

17 Complétez avec **l'imparfait** où le **passé composé** du verbe entre parenthèses.

Mes parents (1) _____ **ont vécu** _____ (vivre) pendant deux ans au Sénégal. Mon père (2) _____ **travaillait** _____ (travailler) pour une entreprise de travaux publics. Moi, j' (3) _____ **allais** _____ (aller) à l'école et j' (4) _____ **avais** _____ (avoir) beaucoup de copains sénégalais. Un jour je (j') (5) _____ **ai rencontré** _____ (rencontrer) un vieux monsieur. Il me (m') (6) _____ **a raconté** _____ (raconter) de nombreuses histoires sur la vie traditionnelle des villages et à mon tour je (j') (7) _____ **ai eu** _____ (avoir) envie de raconter des histoires. Le dimanche nous (8) _____ **partions** _____ (partir) dans l'intérieur du pays ou nous (9) _____ **allions** _____ (aller) à la plage. C'est comme ça que je (j') (10) _____ **ai visité** _____ (visiter) l'île de Gorée. D'ici les esclaves (11) _____ **ont quitté** _____ (quitter) l'Afrique pour l'Amérique. C'(12) _____ **était** _____ (être) très émouvant.

18 Complétez cette biographie avec **l'imparfait** où **le passé composé** du verbe entre parenthèses.

Marguerite Yourcenar est un écrivain français. Quand elle (1) _____ **était** _____

(être) jeune, elle (2) _____ **vivait** _____ (vivre) en Belgique chez sa grand-mère.

Elle (3) _____ **est venue** _____ (venir) aux Etats-Unis en 1939. Sa maison

(4) _____ **s'appelait** _____ (s'appeler) Petite Plaisance. Elle (5) _____ **a écrit** _____

(écrire) de nombreux romans. Elle (6) _____ **aimait** _____ (aimer) beaucoup voyager

et elle (7) _____ **adorait** _____ (adorer) la nature. Elle (8) _____ **a été** _____

(être) la première femme à entrer à l'Académie française.

Leçon C

1 Identifiez le mot ou l'expression de vocabulaire qui correspond à sa définition. Choisissez de la liste suivante.

le marié   la mariée   la bague de fiançailles
les invités   la réception   la demoiselle d'honneur
les alliances   le garçon d'honneur   le voyage de noces
le gâteau de mariage

MODÈLE: C'est le monsieur qui se marie. **le marié**

1. C'est la meilleure amie de la mariée, et c'est elle qui l'assiste le jour de son mariage. **la demoiselle d'honneur**

2. C'est la jolie femme en blanc qui se marie. **la mariée**

3. C'est le meilleur copain du marié. Il l'assiste le jour de son mariage. **le garçon d'honneur**

4. C'est un bijou offert à une femme par l'homme qui veut se marier avec elle. **la bague de fiançailles**

5. C'est la destination des mariés où ils passent du temps ensemble pour fêter leur mariage. **le voyage de noces**

6. Ce sont les bagues échangées par les mariés pendant la cérémonie du mariage. **les alliances**

7. Tous les invités assistent à cette fête après la cérémonie du mariage. **la réception**

8. C'est le grand et beau dessert coupé par les mariés et servi après le repas du mariage. **le gâteau de mariage**

9. Ce sont les personnes qui assistent au mariage. **les invités**

2 Complétez avec **en**, **chez**, **dans**, **à**, ou **pour**.

J'aimerais bien travailler….

1. _____chez/pour_____ Airbus.

2. _____pour_____ un cabinet d'avocats.

3. _____en_____ plein air.

4. _____chez/pour_____ Danone.

5. _____en_____ province.

6. _____pour_____ une PME.

7. _____dans_____ le domaine de l'économie durable.

8. _____pour/dans_____ un laboratoire de recherches.

9. _____à/pour_____ JDN économie.

10. _____pour_____ une compagnie internationale.

11. _____dans_____ le domaine de l'éducation.

12. _____chez_____ Chanel.

3 Où est-ce qu'il ou elle aimerait travailler? Répondez à cette question selon la situation. Consultez la liste suivante.

un laboratoire de recherches	le domaine de la haute technologie	plein air
JDN Économie	une PME	Airbus
un cabinet d'avocats		

MODÈLE: Il aime défendre les causes.
Il aimerait bien travailler pour un cabinet d'avocats.

1. Il préfère le travail à l'extérieur.

    Il aimerait bien travailler en plein air.

2. Elle préfère l'ambiance de petites entreprises.

    Elle aimerait bien travailler pour une PME.

3. Il a le goût de la découverte.

    Il aimerait bien travailler dans un laboratoire de recherches.

4. L'aviation l'attire.

    Il/elle aimerait bien travailler chez Airbus.

5. Nucléaire, nanotechnologies, c'est son domaine.

    Il/elle aimerait bien travailler dans le domaine de la haute technologie.

6. Il aime écrire et il s'est spécialisé dans l'économie.

    Il aimerait bien travailler à JDN Économie.

4 **Rencontres culturelles.** Répondez aux questions d'après le dialogue de la **Leçon C**.

1. Qu'est-ce qui fait dire à Mathieu que le mariage est une vraie entreprise?

    Il y a la réception, la liste des invités, le choix du garçon et de la demoiselle d'honneur, et

    mettre d'accord sa mère et sa belle-mère

2. De quoi rêve Sophie?

    Elle rêve de son voyage de noces en Italie.

3. Où est-ce que Mathieu aimerait bien travailler dans l'avenir?

    Il aimerait bien travailler dans un laboratoire de recherches sur les nanotechnologies.

5 Répondez aux questions suivantes. Référez-vous aux **Points de départ** de la **Leçon C**.

L'enseignement supérieur en France

1. Qu'est-ce qu'il faut faire pour être admis...

   A. à l'université?

   passer le bac

   B. aux grandes écoles?

   participer dans un concours

   C. à un établissement d'enseignement supérieur privé?

   Les établissements d'enseignement supérieur privés possèdent chacun leurs propres

   conditions d'entrée: concours, dossier, obtention d'une licence ou d'un master universitaire.

2. Nommez l'institution d'enseignement supérieur associée avec ....

   A. l'administration

   l'ENA (École nationale d'administration)

   B. les finances

   HEC (École des hautes études commerciales)

   C. les sciences

   l'École Polytechnique

   D. l'éducation

   les Écoles Normales supérieures

   E. l'armée

   l'École Spéciale militaire de Saint-Cyr

Le mariage fête civile et fête religieuse

3. En ce qui concerne le mariage, qu'est-ce qui caractérise ...

   A. la cérémonie civile?

   La cérémonie civile se passe à la mairie devant un officier d'État civil.

Continued on next page

B. la cérémonie religieuse?

La cérémonie religieuse a lieu à l'Église.

4. Quel est le but de la cérémonie du henné dans les cérémonies du mariage au Maghreb?

La cérémonie du henné est une façon de préparer une jeune femme musulmane à sa vie

de femme mariée.

5. Quand et ou ont lieu la fête du henné?

Cette fête a lieu sept jours avant le mariage, chez les parents de la future mariée.

6. Qui assiste à cette cérémonie?

Uniquement les femmes.

7. Pourquoi est-ce qu'on teint le corps de la future mariée?

Pour lui porter chance dans son mariage.

6 Complétez chaque question avec un verbe au **conditionnel**.

MODÈLE : Tu **irais** te promener? (aller)

1. Tu _____**inviterais**_____ qui à ta soirée? (inviter)

2. Vous nous _____**attendriez**_____ où? (attendre)

3. Elle _____**viendrait**_____ me voir? (venir)

4. Vous nous _____**verriez**_____ à la campagne? (voir)

5. Il _____**saurait**_____ trouver l'adresse? (savoir)

6. Ils _____**seraient**_____ heureux de nous voir? (être)

7. Vous _____**recevriez**_____ son correspondant américain? (recevoir)

8. Elle _____**aurait**_____ le temps? (avoir)

9. Nous _____**pourrions**_____ vous aider? (pouvoir)

7 Faites des suggestions. Complétez avec le **conditionnel** du verbe entre parenthèses.

> **MODÈLE:** Tu **devrais** faire tes devoirs. (devoir)

1. Tu _____aimerais_____ beaucoup ce film. (aimer)

2. Vous _____maigririez_____ en mangeant plus de légumes et moins de desserts. (maigrir)

3. Elle _____pourrait_____ travailler davantage. (pouvoir)

4. Vous _____auriez_____ intérêt à lui répondre. (avoir)

5. Il _____faudrait_____ faire plus attention. (falloir)

6. Nous _____serions_____ moins stressés dans cette situation. (être)

7. Tu _____ferais_____ mieux de l'appeler. (faire)

8. Comme ça, elle _____verrait_____ le résultat. (voir)

9. Elles ne _____devraient_____ plus s'en servir. (devoir)

8 Donnez des conseils en employant le **conditionnel**.

> **MODÈLE:** J'ai gagné à la loterie.
> (ne pas en parler) **À ta place, je n'en parlerais pas.**

1. Je me suis fâché avec elle.

   (ne pas lui téléphoner) _____À ta place je ne lui téléphonerais pas._____

2. Je n'ai pas envie de les voir.

   (ne pas les recevoir) _____À ta place, je ne les recevrais pas._____

3. Je ne sais pas comment faire.

   (demander des conseils) _____À ta place, je demanderais des conseils._____

4. Je vais aller les voir.

   (ne pas aller) _____À ta place, je n'irais pas les voir._____

5. Je suis fatigué mais je vais quand même sortir.

   (ne pas sortir) _____À ta place, je ne sortirais pas._____

6. Je n'ai pas envie de me dépêcher.

   (ne pas se dépêcher) _____À ta place, je ne me dépêcherais pas._____

7. Je pense faire un voyage à Paris.

   (faire ce voyage) _____À ta place, je ferais ce voyage._____

9 Formez une phrase avec **si** + le premier verbe à l'imparfait et le deuxième verbe au **conditionnel**.

> **MODÈLE:** tu/travailler plus/avoir de meilleurs résultats
> **Si tu travaillais plus, tu aurais de meilleurs résultats.**

1. elle /faire plus de sport/maigrir

   Si elle faisait plus de sport, elle maigrirait.

2. vous/être plus rigoureux/arriver à l'heure au rendez-vous

   Si vous étiez plus rigoureux, vous arriveriez à l'heure au rendez-vous.

3. tu/être gentil/écrire à ta grand-mère

   Si tu étais plus gentil, tu écrirais à ta grand-mère.

4. nous/avoir de l'argent/partir en vacances

   Si nous avions de l'argent, nous partirions en vacances.

5. elles /venir/prendre le TGV

   Si elles venaient, elles prendraient le TGV.

6. je /aller en France/aller sur la Côte d'Azur

   Si j'allais en France, j'irais sur la Côte d'Azur.

7. elle se marier/ avoir la réception dans un château

   Si elle se mariait, elle aurait la réception dans un château.

10 Complétez avec le **futur** du verbe entre parenthèses.

   MODÈLE: Il **viendra** demain. (venir)

   1. Qui est-ce que tu _____inviteras_____ au mariage? (inviter)

   2. Quand est-ce que vous _____répondrez_____ à mon e-mail? (répondre)

   3. Elle _____prendra_____ sa voiture. (prendre)

   4. Nous _____nous verrons_____ la semaine prochaine. (se voir)

   5. Tu _____pourras_____ rester un peu plus tard. (pouvoir)

   6. Désolé, mais je pense que je _____serai_____ en retard. (être)

   7. Finalement, je ne _____partirai_____ pas. (partir)

   8. Très bien, je _____suivrai_____ on conseil. (suivre)

   9. C'est sûr, je _____me marierai_____ avec elle. (se marier)

11 Rêvons un peu…. Complétez chaque phase avec un verbe au **futur**.

   MODÈLE: **Quand nous serons riches…**
                 …je ne **travaillerai** plus. (travailler)

   1. …nous _____voyagerons_____ souvent. (voyager)

   2. …vous _____vivrez_____ dans une grande maison au bord de la mer. (vivre)

   3. …tu _____t'offriras_____ les plus beaux bijoux. (s'offrir)

   4. …ils _____irons_____ dans les meilleurs hôtels. (aller)

   5. …on _____collectionnera_____ des objets rares. (collectionner)

   6. …je _____prendrai_____ part à des actions humanitaires. (prendre)

   7. …tu _____pourras_____ être généreuse avec tes amies. (pouvoir)

12 C'est à faire. Faites des phrases en mettant le verbe au **futur**.

> **MODÈLE:** réserver les billets
> **Aussitôt que tu auras la confirmation, tu réserveras les billets.**

1. vérifier les horaires

   Possible answers: Aussitôt que seras à l'aéroport, tu vérifieras les horaires.

2. préparer tes affaires

   Aussitôt que tu te lèveras, tu prépareras tes affaires.

3. prendre les guides dans la bibliothèque

   Aussitôt que tu arriveras à Grenoble, tu prendras les guides dans la bibliothèque.

4. sortir les appareils photos

   Aussitôt que tu verras un monument unique, tu sortiras les appareils photos.

5. descendre les planches de surf

   Aussitôt qu'il fera du vent, tu descendras les planches de surf.

6. faire l'itinéraire

   Aussitôt que tes amis accepteront, tu feras l'itinéraire.

7. contacter l'agence

   Aussitôt que ta femme et toi serez d'accord, tu contacteras l'agence.

13 Exprimez la simultanéité avec **Dès que...** N'oubliez pas qu'il faut mettre les deux verbes au **futur**.

> MODÈLE: je /se réveiller /appeler
> **Dès que je me réveillerai, j'appellerai.**

1. nous/arriver /téléphoner

   Dès que nous arriverons, nous téléphonerons.

2. elle/rentrer/lire ses messages

   Dès qu'elle rentrera, elle lira ses messages.

3. ils/arriver/ aller se baigner

   Dès qu'ils arriveront, ils iront se baigner.

4. je/finir mes études/chercher du travail dans un laboratoire de recherches

   Dès que je finirai mes études, je chercherai du travail dans un laboratoire de recherches.

5. tu/recevoir la confirmation/partir

   Dès que tu recevras la confirmation, tu partiras.

6. vous/trouver du travail/chercher un appartement

   Dès que vous trouverez du travail, vous chercherez un appartement.

7. elle/avoir une bague de fiançailles/ acheter une robe de mariage

   Dès qu'elle aura une bague de fiançailles, elle achètera une robe de mariage.

Unité 2

Leçon A

1 Identifiez les illustrations:

MODÈLE:  **du saumon fumé**

1.

2.

3.

4.

5.

6.

7.

8.

1. <u>des côtes de chevreuil</u> _____

2. <u>des mandarines</u> _____

3. <u>une bûche de Noël</u> _____

4. <u>du magret de canard</u> _____

5. <u>des huîtres</u> _____

6. <u>du foie gras</u> _____

7. <u>de la dinde aux marrons</u> _____

8. <u>des boules de neige</u> _____

2 Identifiez la catégorie dont font partie les plats suivants.

A. un apéritif   B. une entrée   C. un plat principal   D. un dessert

_____C_____ 1. le magret de canard

_____D_____ 2. les mandarines

_____B_____ 3. le foie gras

_____D_____ 4. une boule de neige

_____C_____ 5. les côtes de chevreuil

_____B_____ 6. les huîtres

_____B_____ 7. le saumon fumé

_____D_____ 8. la bûche de Noël

_____C_____ 9. la dinde aux marrons

_____A_____ 10. les toasts aux œufs de lump

3 La famille Rouvière fête le réveillon. Racontez ce qui est arrivé en complétant chaque phrase avec un mot de vocabulaire de la liste suivante.

apéritif	dérangent	prévu	embêtent
accueille	sapin	range	emmène

Les Rouvière ont invités des amis à passer la soirée du réveillon chez eux. Heureusement, leurs

amis sont libres ce soir-là. Ils n'ont rien de (1) _____**prévu**_____. Quand leurs invités

arrivent, M. Rouvière les (2) _____**accueille**_____ en disant « Bonsoir, Joyeux Noël! » Son

fils, Jean-Baptiste, prend leurs manteaux et les (3) _____**range**_____ dans le placard.

Puis M. Rouvière (4) _____**emmène**_____ ses amis dans le salon, où il y a un très joli

(5) _____**sapin**_____ de Noël. Dans le salon, on sert l'(6) _____**apéritif**_____.

Puis, on passe à table où on prend un repas excellent avec une bûche de Noël comme dessert.

Les enfants ne (7) _____**dérangent**_____ pas trop leurs parents ce soir-là, et les petits n'

(8) _____**embêtent**_____ pas les ados. Ils savent que le père Noël va venir!

4 **Rencontres culturelles.** Répondez aux questions d'après le dialogue de la **Leçon A**.

1. Qui est-ce qui n'a rien de prévu pour le réveillon?

   Amélie Martin et sa famille n'ont rien de prévu pour le réveillon.

2. Quels sont les arguments utilisés par la mère d'Élodie et de Léo?

   On est à cinq jours du réveillon et ils ont peut-être déjà accepté une invitation.

3. Qu'est-ce qu'Amélie propose d'apporter aux Martin?

   Elle propose d'apporter les toasts.

5 Répondez aux questions suivantes. Référez-vous aux **Points de départ** de la **Leçon A**.

1. Quelle est la différence principale entre le réveillon de Noël et de Nouvel An en France?

   Le réveillon de Noël se passe généralement en famille, mais le réveillon du nouvel an

   (nuit de la Saint-Sylvestre), se passe plutôt avec les amis.

2. Traditionnellement, qu'est-ce qu'on mange souvent pendant le repas du réveillon?

   On mange des toasts aux œufs de lump, des huîtres, du saumon fumé, de la dinde aux

   marrons, et une bûche de Noël.

3. Quelles sont des traditions de Noël en France?

   Certaines familles assistent à la messe de minuit, et les enfants mettent leurs chaussons

   sous le sapin de Noël avant d'aller se coucher.

4. Quand est la fête de l'Aïd?

   C'est à la fin du mois sacré du Ramadan.

5. Qu'est-ce qui caractérise la fête de l'Aïd?

   Il y a le don de rupture du jeûne (la Zakat el-Fitr), la prière, le repas avec les dattes, la

   présentation des vœux à la famille et aux amis.

6. En quoi la fête de l'Aïd a-t-elle pris une dimension nationale?

   À Paris, la Mairie de Paris ouvre l'Hôtel de Ville de Paris aux Musulmans et à tous ceux et

   celles qui veulent partager cette fête. C'est une occasion de lutter contre l'islamophobie.

6 Complétez chaque question par **qui**, **qui est-ce qui**, **que**, **qu'est-ce que**?

1. _Qui/qui est-ce qui_ accueille les invités?

2. _Que_ range le jeune homme dans le placard?

3. _Qui/Qui est-ce qui_ emmène les invités au salon?

   M. Lombard.

4. _Qui/Qui est-ce qui_ la mère prépare dans la cuisine?

5. _Que_ sert la mère avant le dîner?

6. _Qu'est-ce que_ les parents mettent sous le sapin?

7. _Que_ fait passer le frère à sa sœur?

8. _Qui/Qui est-ce qui_ embète sa cousine?

7 Complétez la phrase avec l'expression interrogative convenable.

1. _Qui est-ce que_ tu invites?

2. _Qui_ vient ce soir?

3. _Qu'est-ce que_ tu achètes pour ce soir?

4. _Qu'est-ce que_ l'on boit à l'apéritif?

5. _Qui/Qui est-ce qui_ apporte le dessert?

6. _Qu'est-ce qu'_ on écoute comme musique?

7. _Que_ prends-tu chez le pâtissier?

8. _Qui est-ce qu'_ elle connaît?

8 Retrouvez la question originale aux réponses ci-dessous. Commencez votre question par une expression interrogative: **qui, que, qui, qui est-ce qui, que, qu'est-ce que, que, qui est-ce qui, de qui** ou **pour qui.**

> **MODÈLE:**   **Qu'est-ce que tu vas lui acheter comme cadeau?**
> Je vais lui acheter *des DVD.*

1. **Que vas-tu faire demain?/Qu'est-ce que tu vas faire demain** _____ ?

   Demain, je vais *aller au cinéma.*

2. **Qui va s'occuper des enfants?/Qui est-ce qui va s'occuper des enfants** _____ ?

   Moi, je vais m'occuper des enfants.

3. **Que vas-tu lui proposer?/Qu'est-ce que tu vas lui proposer** _____ ?

   Je vais lui proposer *un rendez-vous.*

4. **De quoi ton frère va-t-il parler?/De quoi est-ce que ton frère va parler** _____ ?

   Mon frère va parler *de ses voyages.*

5. **Qui va être présent?/Qui est-ce qui va être présent** _____ .

   Mon frère va être présent.

6. **De qui vas-tu raconter l'histoire?/De qui est-ce que tu vas raconter l'histoire** _____ ?

   Je vais raconter l'histoire *de mon grand-père italien immigré.*

7. **Pour qui vas-tu acheter ce livre?/Pour qui est-ce que tu vas acheter ce livre** _____ ?

   Je vais acheter ce livre *pour ma mère.*

9 Complétez la réponse aux questions suivantes avec un pronom objet direct: **le**, **la**, ou **les**.

> **MODÈLE:** Où mets-tu les cadeaux?
> Je **les** mets sous le sapin.

1. Tu vas lire le roman que je t'ai prêté?

   Oui, je vais _____le_____ lire ce soir.

2. Vous offrirez les fleurs à grand-mère?

   Oui, nous _____les_____ offrirons à grand-mère.

3. Tu as déjà entendu la musique de ce film?

   Oui, je _____l'_____ ai déjà entendue.

4. Comprenez-vous la recette de la dinde aux marrons, Mme Merrick?

   Oui, je _____la_____ comprends.

5. Tu prends tes écouteurs?

   Oui, je _____les_____ prends.

6. Tu as écouté sa dernière chanson?

   Oui je _____la_____ ai écoutée.

7. Vraiment, l'élève de M. Jacquemont a peint ces tableaux?

   Oui, il _____les_____ a peints.

10 Complétez les phrases en répondant aux questions par **oui** ou **non** selon les indications. Utilisez un pronom d'objet direct **me**, **te**, **nous**, ou **vous**.

> **MODÈLE:** Tu m'attends?
> **Non, je ne t'attends pas**, je dois me dépêcher ce soir.

1. Messieurs, vous m'écoutez?

   Oui, nous vous écoutons, nous voulons comprendre le problème.

2. Tu me parles?

   Oui, je te parle, tu ne m'a pas entendue?

3. Nous vous emmenons à la fête samedi, Mme Brunon?

   Oui, vous m'emmenez, merci, je ne conduis plus le soir.

4. Tu m'appelleras quand tu seras sur la Côte d'Azur?

   Non, je ne t' appellerai pas, je n'aurai pas le temps.

5. Vous me reconnaissez Monsieur Bichounet?

   Non, je ne vous reconnaît pas, qui êtes-vous?

6. Alors, les jumeaux, je vous vois samedi?

   Non, tu ne nous vois pas (samedi), nous devons aller voir notre oncle.

7. Tu me laisse t'aider dans la cuisine, mamy?

   Oui, je te laisse m'aider, tu peux décorer la bûche.

Leçon B

1 Décrivez la forme de ces objets.

MODÈLE:  carré

1. _____cubique_____

2. _____cylindrique_____

3. _____conique_____

4. _____rond_____

5. _____sphérique_____

6. _____en forme de poire_____

7. _____rectangulaire_____

2 C'est comment? haut? large? long? Répondez à la question d'après l'illustration en suivant le modèle.

MODÈLE: **C'est haut comme ça.**

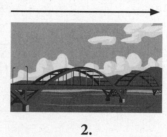

1. 2. 3.

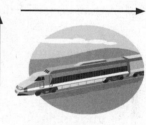

4. 5. 6. 7.

1. __C'est large comme ça.__

2. __C'est long comme ça.__

3. __C'est haut comme ça.__

4. __C'est long comme ça.__

5. __C'est large comme ça.__

6. __C'est haut comme ça.__

7. __C'est long comme ça.__

3 Dites si les objets suivants sont **en plastique**, **en métal**, **en bois**, **en velours**, **en coton**, ou **en soie**. Suivez le modèle.

MODÈLE: Un objet pour les enfants pour arroser les plantes.
C'est en plastique.

1. Une cuiller pour remuer la sauce. _____ C'est en bois. _____

2. La robe du roi Louis XIV. _____ C'est en velours. _____

3. Une serviette pour se sécher après le bain. _____ C'est en coton. _____

4. Un chemisier traditionnel de Chine. _____ C'est en soie. _____

5. Une grosse casserole pour faire bouillir les pâtes. _____ C'est en métal. _____

6. Une bouteille d'un litre de soda. _____ C'est en plastique. _____

7. Des verres pour les invités. _____ C'est en verre. _____

8. Un vase pour y mettre de belles fleurs. _____ C'est en verre. _____

4 A quoi ça sert? Faites correspondre les objets de cuisine à leur usage.

1. une casserole   A. Ça sert à remuer.

2. une poêle   B. Ça sert à filtrer.

3. une cuillère en bois C. Ça sert à faire chauffer.

4. une passoire   D. Ça sert à mélanger.

5. un chinois   E. Ça sert à mesurer.

6. un verre mesureur   F. Ça sert à laisser passer le liquide.

7. une spatule   G. Ça sert à racler.

8. un mixer   H. Ça sert à faire griller.

5 **Rencontres culturelles.** Répondez aux questions d'après le dialogue de la **Leçon B**.

1. Pourquoi le père de Léo ne veut pas qu'il reste dans la cuisine?

   Il va lui faire rater la sauce.

2. Que cherche le père de Léo?

   Il cherche un chinois.

3. Comment décrit-il la chose qu'il cherche?

   Elle est ronde et conique, en métal et haute comme ça. Ça sert à filtrer les herbes.

4. Où la mère de Léo avait-elle posé l'objet et pour quoi?

   Elle l'avait posé sur la casserole dans laquelle son père va verser la sauce, parce qu'il

   pourra la voir.

6 Répondez aux questions suivantes. Référez-vous aux **Points de départ** de la **Leçon B**.

1. Qu'est-ce qui a changé dans la distribution des rôles dans la préparation des repas en France?

   Les hommes participent de plus en plus à la préparation du repas.

2. Quels sont les changements dans la composition des repas?

   Answers will vary.

3. Quels sont aujourd'hui les plats les plus populaires? Qu'est-ce qu'ils montrent de l'évolution de la société française?

   Answers will vary.

4. Quelle est une école de cuisine prestigieuse en France? Où travaillent les chefs qui étaient apprentis à cette école?

   Le Cordon Bleu est une école de cuisine prestigieuse. Ses chefs travaillent dans les

   meilleurs restaurants et hôtels de la France et du monde.

5. Racontez l'histoire du film *Julie&Julia*

   Answers will vary.

7 Aujourd'hui, c'est la fête de Noël au bureau de M. Laverdure. Dite ce que chacun a offert à ses collègues. Utilisez un pronom d'objet indirect: **me**, **te**, **nous**, **vous**, **lui**, ou **leur**.

> **MODÈLE:** M. Durand/à M. et Mme Dupin/deux cuiller en bois
> **Il leur a offert deux cuiller en bois.**

1. Jeanne/toi/des verres

   Elle m'a offert des verres.

2. Toi/moi/des tasses

   Tu m'as offert des tasses.

3. M. Laverdure/à Daniel et moi/des serviettes

   Il nous a offert des serviettes.

4. M. et Mme Dupagnieul/à Sarah et toi/une poêle

   Elle vous a offert une poêle.

5. Marie-Noelle/à Djamila/des assiettes

   Elle lui a offert des assiettes.

6. Vous/à Axel et moi/des casseroles

   Vous nous avez offert des casseroles.

7. La secrétaire/à M. Laverdure/une spatule

   Elle lui a offert une spatule.

8 Répondez en utilisant un pronom d'objet indirect: **me, te, nous, vous, lui,** ou **leur.**

> **MODÈLE:** Tu téléphones à ta mère?
> Oui, **je lui téléphone.**

1. Tu réponds à Léo et Elodie?

   Oui, _je leur réponds._

2. On offre un cadeau à Laure?

   Oui, _on lui offre un cadeau._

3. Vous ont-ils fait une proposition?

   Oui, _ils nous ont fait une proposition._

4. Tu peux me prêter ce DVD?

   Oui, _je peux te prêter ce DVD._

5. Vous avez proposé à Edouard de venir?

   Oui, _nous lui avons proposé de venir._

6. Tu voudrais me montrer ta collection de timbres?

   Oui, je veux bien _je veux bien te montrer ma collection._

7. C'est vrai, tu nous donnes ton livre de cuisine?

   Oui, _je vous donne mon livre de cuisine._

9 Répondez à la question en utilisant un pronom d'objet indirect.

> **MODÈLE:** Tu as écrit à tes amis?
> **Oui, je leur ai écrit.**

1. Tu as envoyé un e-mail à Djamila?

   Oui, _je lui ai envoyé un e-mail._

2. Tu as demandé le nom du film à Bruno et Eric?

   Non, _je ne leur ai pas demandé le nom du film._

3. Ils t'ont répondu?

   Non, _ils ne m'ont pas répondu._

4. Tu as parlé à Karim ce matin?

   Oui, _je lui ai parlé_

5. Tes copains ont envoyé le message à Léo?

   Oui, _ils lui ont envoyé le message_

6. Aliyah t'a raconté comment ça s'est passé?

   Oui, _elle m'a raconté comment ça c'est passé._

7. Le nouvel employé vous a demandé des conseils, M. le directeur?

   Non, _il ne m' a pas demandé de conseils._

10 Complétez avec **c'est** ou **il/elle est**.

      Modèle: **Il est** québécois.

1. _____C'est_____ facile.

2. _____Elle est_____ actrice

3. _____C'est_____ un acteur célèbre.

4. Voyager, _____C'est_____ cher.

5. _____Elle est_____ très amusante.

6. Dans ma situation, _____C'est_____ compliqué.

7. Oh le joli petit chien! _____Il est_____ attachant.

8. Non, ce n'est pas mon petit ami. _____C'est_____ quelqu'un que j'aime beaucoup.

9. Ah ma mère, depuis que je suis rentrée du Brésil, _____Elle est_____ heureuse.

11 Complétez avec **c'est** ou **il/elle est**.

Général De Gaulle

1. _____**C'est**_____ un personnage historique. _____**C'est**_____ un général. _____**Il est**_____ très admiré par les Français.

2. _____**C'est**_____ un roman. _____**C'est**_____ une histoire avec une héroïne très jeune. _____**Elle est**_____ très cruelle.

Marion Cotillard

3. _____**Elle est**_____ brune. _____**C'est**_____ une belle actrice. _____**C'est**_____ la muse de Woody Allen dans *Minuit à Paris*.

Coco Chanel

4. _____**Elle est**_____ célèbre pour ses parfums et sa petite robe noire. _____**C'est**_____ une créatrice de mode. _____**C'est**_____ une vraie success story.

5. _____**C'est**_____ un film célèbre. _____**Il est**_____ très émouvant. _____**C'est**_____ un film avec Jean Dujardin.

6. _____**C'est**_____ un foulard. _____**C'est**_____ un carré en soie. _____**Il est**_____ très reconnaissable par ses dessins.

Leçon C

1 Regroupez les mots de la liste dans la bonne catégorie.

Les élections	l'endettement	le championnat	le blogueur
la comédie	le candidat	le film	le club
le look tradi	l'inflation	le prêt à porter	voter
la vedette	réduire la valeur	la hausse du taux	d'inflation
la médaille	le parti politique socialiste	la longueur des jupes	le PNB baisse
passer un film	le hit	les revenus	

1. Mode: ____**le look tradi, le prêt à porter, la longueur des jupes**____

2. Sport: ____**le championnat, le club, la médaille, s'entraîner**____

3. Politique: ____**les élections, le candidat, voter, le parti politique socialiste**____

4. Économie: ____**l'endettement, le PNB baisse, la hausse du taux d'inflation, réduire la valeur,**____

____**les revenus**____

5. Cinéma: ____**la comédie, la vedette, passer un film**____

6. Médias: ____**le blogueur, le hit**____

2 Faites des commentaires utiles pour la conversation en complétant chaque phrase avec une expression de la liste suivante.

le PNB a baissé
et a reçu la médaille d'or
pour le candidat du parti politique socialiste
a été tourné en France et a reçu deux récompenses

le nouveau hit de Zazi à la radio
et c'est pourquoi je suis ce blogueur
est très à la page cette année

1. Le look tradi _____est très à la page cette année_____ .

2. Un Américain a gagné le championnat d'athlétisme _____et a reçu la médaille d'or_____ .

3. Je crois que les français vont voter _____pour le candidat du parti politique socialiste_____ .

4. À cause de l'endettement des pays, _____le PNB a baissé_____ .

5. Le film qu'on passe au Gaumont _____a été tourné en France et a reçu deux récompenses_____ .

6. J'adore les réseaux sociaux, _____et c'est pourquoi je suis ce blogueur_____ .

7. Est-ce que vous avez entendu _____le nouveau hit de Zazi à la radio_____ ?

3 De quoi parle-t-on? De la politique, de l'économie, de la mode, du sport, du cinéma, ou des médias?

MODÈLE: C'est un film très drôle. **du cinéma**

1. Avec l'inflation j'ai peur pour nos salaires. _____de l'économie_____

2. Très à la page votre look! _____de la mode_____

3. Je ne sais pas pour quel candidat je vais voter cette année. _____de la politique_____

4. Il a gagné le championnat et a reçu une médaille. _____du sport_____

5. Tu participes à son blogue? _____des médias_____

6. Super, le nouveau hit de Zaz! _____des médias_____

7. J'adore les comédies dramatiques réalisées par Noémie lvovsky. _____du cinéma_____

8. Je m'entraîne tous les weekends au club. _____du sport_____

9. Que pensez-vous du prêt-à-porter des femmes dans ce magasin? _____de la mode_____

Nom: _____   Date: _____

4 Complétez avec un mot de vocabulaire choisi de la liste suivante.

récompenses   empêcher   entraîne   look   tourné
candidat   réduit   blogue   passe

MODÈLE: J'ai peur pour la valeur de nos **revenus.**

1. Je ne peux pas m'_____**empêcher**_____ de penser aux gens qui souffrent dans le monde.

2. Pour les élections présidentielles, il y a un _____**candidat**_____ socialiste.

3. Tu as un _____**look**_____ très fashion!

4. J'attends chaque semaine son _____**blogue**_____. Je fais partie de sa communauté.

5. Le dernier hit de Zaz _____**passe**_____ en ce moment à la radio.

6. C'est un sportif très sérieux: il s'_____**entraîne**_____ trois fois par jour.

7. Ce film est extraordinaire. Il a reçu deux _____**récompenses**_____, je crois.

8. Tu sais, le film et comédie musicale, *les Misérables*, a été _____**tourné**_____ en Angleterre.

9. La hausse du taux d'inflation _____**réduit**_____ la valeur des revenus.

5 **Rencontres culturelles.** Répondez aux questions d'après le dialogue de la **Leçon C.**

1. Qu' est-ce que Sophie ne peut pas s'empêcher de faire même pendant qu'on réveillonne?

   Elle ne peut pas s'empêcher de penser aux gens qui souffrent dans le monde.

2. Qu'est-ce qui préoccupe Élodie et Léo?

   Answers will vary.

3. Qu'est-ce que leur père veut les encourager à faire?

   Il veut les encourager à récupérer son idéalisme de jeunesse!

4. De quoi est-ce que les Martin parlent à table?

   Ils parlent du sport et du cinéma.

Nom: _____   Date: _____

6 Répondez **vrai** ou **faux** à la question. Référez-vous aux **Points de départ** de la **Leçon C**.

_____faux_____ 1. I l faut arriver juste à l'heure pour une invitation à dîner.

_____faux_____ 2. L'hôtesse n'ouvre pas tout de suite les cadeaux qu'elle reçoit de ses invités. Elle les ouvrira quand ils seront partis.

_____vrai_____ 3. On sert le vin que les invités ont offert comme cadeau avec le repas.

_____vrai_____ 4. Les couteaux regardent vers l'intérieur.

_____vrai_____ 5. Les fourchettes et les cuillères sont posées face bombée sur la table.

_____faux_____ 6. La politique et l'argent sont de bons sujets à discuter à table.

7 Écrivez une réponse à la question suivante.

Pourquoi les Français adorent-ils débattre et sur quoi débattent-ils?

Answers will vary.

8 Complétez les phrases avec **qui** ou **que**.

MODÈLE: Je cherche un grand appartement **qui** est proche de mon travail.

1. La cantatrice _____qui_____ chantait le rôle principal de l'opéra était superbe.

2. Le Président _____que_____ les Français ont élu, désire une Europe plus forte.

3. Le journal _____qui_____ représente le mieux mes opinions est très populaire.

4. L'informaticien a présenté un nouveau logiciel _____qui_____ a beaucoup plu aux étudiants.

5. J'ai écouté le dernier disque de David Guetta _____qui_____ m'a beaucoup plu.

6. Le Centre Pompidou est un endroit _____que_____ j'aime bien.

7. Le Pont du Gard _____qui_____ est formé de trois arcades superposées, est un chef d'œuvre de l'antiquité.

9 Reliez les deux phrases avec **qui** ou **que**. Suivez le modèle.

> MODÈLE: Les Français ont élu un président. Il était socialiste.
> **Les français ont élu un président qui était socialiste.**
> ou
> **Le président que les Français ont élu était socialiste.**

1. Le look tradi est à la mode. Elles portent le look tradi.

   Le look tradi qu'elles portent est à la mode. _____

2. Les robes étaient longues. On a vu les robes à Paris.

   Les robes qu'on a vues à Paris étaient longues. _____

3. Le film est une comédie. Le film passe au Gaumont Palace.

   Le film qui passe au Gaumont Palace est une comédie. _____

4. Le film est une comédie avec des vedettes américaines. Dany Boon a tourné le film.

   Le film que Dany Boon a tourné est une comédie avec des vedettes américaines.

5. Le PNB de l'Europe a baissé. Tout le monde regarde le PNB de l'Europe.

   Le PNB de l'Europe que tout le monde regarde a baissé. _____

6. Le blogueur dit qu'elle aura de nouveau l'Oscar. Le blogueur admire Marion Cotillard.

   Le blogueur qui admire Marion Cotillard dit qu'elle aura à nouveau l'Oscar.

7. Le garçon a gagné le championnat d'Europe. Il s'est entraîné à notre club.

   Le garçon qui a gagné le championnat d'Europe s'est entraîné à notre club.

10 Complétez avec **ce que** ou **ce qui**.

> MODÈLE: **Ce que** nous voulons, c'est un Président compétent.

1. _____Ce qui_____ est important, c'est le résultat.

2. _____Ce que_____ Léo et Élodie souhaitent, c'est de la solidarité.

3. Je ne sais pas _____ce que_____ je veux.

4. _____Ce qui_____ ne va pas, c'est la situation économique.

5. _____Ce que_____ les Français aiment, c'est la discussion.

6. Voici _____ce que_____ tu cherches.

7. _____Ce qui_____ est un problème, c'est la situation des banques.

8. _____Ce qui_____ distingue la mode cette année, c'est la longueur des jupes.

9. Est-ce que tu sais _____ce qui_____ est arrivé?

10. Je ne comprends pas _____ce que_____ le gouvernement fait.

11. Nous regardons _____ce qui_____ passe à la télé.

12. Pourquoi ne porter que _____ce qui_____ est à la mode?

13. _____Ce qui_____ tu as lu est incroyable!

14. Oui, c'est _____ce que_____ je pense aussi.

11 Écrivez une phrase qui commence avec **ce qui** ou **ce que**. Suivez le modèle.

MODÈLE: est important Pour Djamel/la réussite à l'école
Ce qui est important pour Djamel est la réussite à l'école.

1. tu dis/très intéressant

   Ce que tu dis est très intéressant.

2. nous désirons/une solution au problème économique du pays

   Ce que nous désirons est une solution aux problèmes économiques du pays.

3. est magnifique/le nouveau hit de Christophe Maé

   Ce qui est magnifique est le nouveau hit de Christophe Maé.

4. le parti politique cherche/un bon candidat

   Ce que le parti politique cherche est un bon candidat.

5. est triste/le grand nombre de sans-abri

   Ce qui est triste est le grand nombre de sans-abri.

6. il mérite/une médaille

   Ce qu'il mérite est une médaille.

7. vous dites/sans doute correct

   Ce que vous dites est sans doute correct.

Unité 3

Leçon A

1 Identifiez le mot ou l'expression de vocabulaire associé avec la famille éloignée.

> **MODÈLE:** Le père de mon grand-père est mon **arrière grand-père**.

1. La mère de ma grand-mère est mon _____**arrière-grand-mère**_____.

2. La sœur de ma grand-mère est ma _____**grand-tante**_____.

3. Le père de ma grand-mère est mon _____**arrière grand-père**_____.

4. Le fils de ma tante est mon _____**cousin germain**_____.

5. La fille de mon grand-oncle est la _____**cousine germaine**_____ de ma mère.

6. Le frère de mon grand-père est mon _____**grand-oncle**_____.

7. Le fils de mon cousin est mon _____**petit cousin**_____.

8. Un synonyme pour les ancêtres est les _____**aïeux**_____.

2 Complétez avec **en**, **dans le (l')**, ou **à**.

1. Mes aïeux sont arrivés _____**dans le**_____ Massachusetts.

2. Mon arrière-grand-père a habité_____**dans le**_____ Texas.

3. Ma grand-tante est née _____**en**_____ Caroline du Nord.

4. Mon grand-oncle a vécu _____**à**_____ Hawaï.

5. Ma grand-tante et mon grand-oncle se sont rencontrés _____**en**_____ Floride.

6. Mon cousin germain s'est installé _____**dans le**_____ Michigan.

7. Ma grand-tante habite _____**dans le**_____ Nouveau Mexique.

3 Complétez avec **en**, **dans le (l')**, ou **à**.

Ma famille est arrivée aux États-Unis dans les années 1920. Elle s'est installée

(1) _____dans le_____ Vermont à Burlington. Puis, ils sont partis vivre

(2) _____en_____ Virginie. Mon oncle est allé habiter

(3) _____dans le_____ New-Jersey et il a rencontré ma tante à Atlantic City. Mon père

est né à Denver (4) _____dans le_____ Colorado et ma mère a grandi à Saint Paul

_____dans le_____ (5) Minnesota. Ma cousine habite aujourd'hui

(6) _____en_____ Californie à San Diego et mon cousin finit ses études à

Philadelphie (7) _____en_____ Pennsylvanie. Et moi, j'ai de la chance parce que

j'habite (8) _____à_____ Hawaï!

4 **Rencontres culturelles.** Répondez aux questions d'après le dialogue de la **Leçon A**.

1. Les aïeux de Justin sont partis de quelle région de France?

   Ils sont partis de la Bretagne.

2. Où est-ce qu' ils se sont installés en arrivant?

   Ils se sont allés au Québec sur l'île d'Orléans.

3. Pourquoi sont-ils allés ensuite dans le Maine?

   Ils y sont allés à cause de la grande crise de 1929.

4. Quels métiers les aïeux de Justin ont-ils pratiqué dans le Maine?

   Son arrière-grand-père a travaillé comme pêcheur et son arrière-grand-mère a travaillé

   dans une conserverie.

5. Pourquoi le grand-père de Justin a-t-il changé de métier?

   Il a compris que le Maine allait devenir très touristique alors, il a ouvert un petit

   restaurant, puis un hôtel.

5 Répondez aux questions suivantes. Référez-vous aux **Points de départ** de la **Leçon A**

L'Alliance française

1. Quel est l'objectif de l'Alliance française?

    L'Alliance française est une association qui a pour objectif de participer au rayonnement

    de la culture française et à l'enseignement de la langue française.

2. Comment se traduit cet objectif dans son action?

    Answers will vary.

3. Quelle est l'importance de l'Alliance française aux États-Unis?

    Answers will vary.

L'immigration française: de l'île d'Orléans au Québec

4. Qui a fondé la ville de Québec? Quand et pourquoi l'a-t-il fondée?

    Samuel de Champlain a fondé la ville de Québec en 1608 pour faire venir les missions

    religieuses.

5. Expliquez l'importance de l'île d'Orléans.

    Answers will vary.

6. D'où sont venus les premiers colons de Québec?

    Ils sont venus de Bretagne, de Normandie, et d'Anjou, et puis ensuite du Dauphiné, de

    Ligurie, et de Savoie à cause des conflits militaires.

7. D'où est venue la majorité d'immigrants francophones au Québec de 1960 à 1970?

    De 1960 à 1970 les immigrants francophones sont venus principalement d'Haïti et du

    Vietnam.

Continued on next page

8. Et aujourd'hui les immigrants au Québec viennent d'où en général?

Aujourd'hui, la majorité d'immigrants viennent de France, de Belgique, et du Maghreb.

La nouvelle Angleterre

9. Les Francophones dans la Nouvelle Angleterre sont les descendants de quel peuple?

Ce sont les descendants des Québécois et des Acadiens.

10. Quand et pourquoi est-ce qu'ils sont venus s'y installer?

Ils sont venus s'y installer entre le milieu du XIXème siècle et la Seconde Guerre

mondiale pour chercher du travail.

11. Quel pourcentage de la population parle français à la maison dans le Maine?

Dans le Maine, on estime que 5% de la population parle français à la maison.

Nom: _____   Date: _____

6 Répondez affirmativement aux questions suivantes en employant le pronom, **y**.

> MODÈLE: Vous resterez dans le Texas pendant vos vacances?
> **Oui, nous y resterons.**

1. Tu vas en Californie cet été?

   Oui, j'y vais cet été. _____

2. Ils habitent à Paris?

   Oui, ils y habitent. _____

3. Est-ce que ta grand-tante habite en Nouvelle Angleterre?

   Oui, elle y habite. _____

4. Est-ce que ta vas répondre à son message?

   Oui, je vais y répondre. _____

5. Est-ce que vous pensez à la nouvelle collection du Louvre?

   Oui, nous y pensons. _____

6. Est-ce qu'il réfléchit à sa décision?

   Oui, il y réfléchit. _____

7. Est-ce qu'ils vont déménager en Floride?

   Oui, ils vont y déménager. _____

8. Est-ce qu'ils sont allés au festival de musique?

   Oui, ils y sont allés. _____

7 Répondez aux questions suivantes en employant le pronom, **y**.

> **MODÈLE:** Tu vas au cinéma ce soir?
> Oui, **j'y vais.**
>
> Tu penses à tes vacances dans l'Iowa?
> Non, **je n'y pense pas.**

1. Tu seras à la conférence?

   Oui, _j'y serai._____

2. Tu assisteras au match?

   Non, _je n'y assisterai pas._____

3. Tu as réfléchi à ma question?

   Oui, _j'y ai réfléchi._____

4. Tu participeras à la manifestation?

   Non, _je n'y participerai pas._____

5. Tu es allée au Festival de musique celte?

   Non, _je n'y suis pas allée._____

6. Tu as pensé à la situation?

   Oui, _j'y ai pensé._____

8 Répondez aux questions suivantes en employant le pronom, **en**.

> MODÈLE: Tu veux du café?
> Oui, **j'en veux.**

1. Tu prends du dessert?

   Oui, _____j'en prends._____

2. Vous faites du sport?

   Oui, _____nous en faisons._____

3. Est-ce qu'ils parlent du voyage?

   Non, _____ils n'en parlent pas._____

4. Elle se sert de l'ordinateur?

   Oui, _____elle s'en sert._____

5. Il va acheter des livres?

   Oui, _____il va en acheter._____

6. Tu as pris de la glace?

   Oui, _____j'en ai pris._____

7. Ils ont mangé de la soupe?

   Non, _____ils n'en ont pas mangé._____

9 Répondez aux questions selon les illustrations. Utilisez le pronom **y** ou **en**.

MODÈLE: Vous prenez de la salade?
Oui, nous en prenons.

 Vous allez à Paris?
Non, nous n'y allons pas.

1. Vous voulez voir les falaises d'Etretat?

_____Oui, nous y allons._____

2. Et vous avez des enfants?

_____Non, nous n'en avons pas._____

3. Vous habitez aux États-Unis?

_____Oui, nous y habitons._____

4. Vous résidez sur la Côte d'Azur?

_____Non, nous n'y résidons pas._____

5. Vous faites du vélo?

_____Oui, nous en faisons._____

6. Et vous avez un chien?

_____Oui, nous en avons un._____

10 Écrivez une réponse avec deux pronoms d'objets.

> **Modèle:** Tu donnes du gâteau à ta sœur?
> **Oui, je lui en donne.**

1. Tu parles de l'invitation à tes cousins?

   Oui, _je leur en parle._____

2. Vous parlez du contrat à l'agent?

   Non, _nous ne lui en parlons pas._____

3. Elle porte les lettres à la poste?

   Oui, _elle les y porte._____

4. Il offre des fleurs à sa copine?

   Oui, _il lui en offre._____

5. Il te parle de ses problèmes?

   Non, _il ne m'en parle pas._____

6. Tu vends ta voiture à ton grand-oncle?

   Oui, _je la lui vends._____

7. Tu vas inviter tes amis à la maison?

   Oui, _je vais les y inviter._____

8. Tu as vu Karim à la fête?

   Oui, _je l'y ai vu._____

11 Répondez à l'impératif.

> **MODÈLE:** Je peux donner ton numéro de téléphone aux voisins?
> Oui, **donne le leur**!
> Non, **ne le leur donne pas**!

1. Je peux donner ton adresse à ma cousine?

   Oui, _donne-la-lui_____ !

2. Je peux parler de cette affaire à l'avocat?

   Non, _ne lui en parle pas_____ !

3. Je peux vendre ces vieux livres aux étudiants?

   Non, _vends-les-leur_____ !

4. Je peux inviter tes cousins au restaurant?

   Oui, _invite-les-y_____ !

5. Je peux écrire cette lettre à l'éditeur?

   Non, _ne la lui écris pas_____ !

Leçon B

1 Identifiez le genre de littérature selon les indications: **une ballade, un conte, un poème, une histoire vraie, un roman, une fable,** ou **une pièce de théâtre**.

1. *Blanche Neige*, *La Belle et la Bête*, une histoire pour enfants

   <u>un conte</u>

2. La Fontaine, *Les animaux qui parlent*, une histoire avec une morale

   <u>une fable</u>

3. *Les Trois Mousquetaires*, *Le Petit Prince*, *Les Misérables*, un livre de fiction

   <u>un roman</u>

4. Baudelaire, Rimbaud, Apollinaire, littérature écrite en rime et en vers

   <u>un poème</u>

5. Molière, Shakespeare, une présentation devant le publique

   <u>une pièce de théâtre</u>

6. une biographie, une autobiographie

   <u>une histoire vraie</u>

7. C'était à la fois un poème, une chanson, et une histoire

   <u>une ballade</u>

2 Donnez un exemple d'une œuvre de littérature que vous connaissez pour chaque catégorie.

1. un roman *Answers will vary.* _____

2. une pièce de théâtre _____

3. une histoire vraie _____

4. un poème _____

5. une fable _____

6. un conte de fées _____

3 Complétez avec un mot de vocabulaire choisi de la liste suivante.

joue un tour   magicien   rusé   déjoue   se méfier

1. Il faut faire attention si une personne ou la situation est suspecte.

   Il faut _____se méfier_____.

2. La personne principale de cette histoire est un vrai illusionniste. On pourrait dire un sorcier.

   Il change les personnes en animaux. Il est _____magicien_____.

3. Dans le conte, *La Belle au Bois Dormant*, la fée _____joue un tour_____ au roi, et tout le monde dans le château dort pendant 100 ans.

4. À la fin de 100 ans, un prince arrive, il embrasse la princesse et _____déjoue_____ le tour. Tout le monde se réveille.

5. Dans une fable de la Fontaine, le renard (*fox*) flatte un oiseau noir. L'oiseau laisse tomber son fromage quand il commence à parler. Le renard profite de la situation. Il est très

   _____rusé_____.

4 **Rencontres culturelles.** Répondez aux questions d'après le dialogue de la **Leçon B**.

1. Pourquoi Aïcha ne veut-elle pas manger?

   Elle n'aime pas la soupe. Elle a mangé un yaourt il y a une heure, et sa maman lui a fait

   un bon goûter.

2. Qu'est-ce qu' Aïcha veut faire avant de se coucher?

   Elle veut lire une histoire.

3. Résumez l'histoire lue par Karim.

   Answers will vary.

5 Répondez aux questions. Référez-vous aux **Points de départ** de la **Leçon B**.

La Tunisie

1. Comparez la taille de la Tunisie par rapport aux autres pays du Maghreb.

   La Tunisie est le plus petit des trois pays du Maghreb.

2. Quelle est la capitale de la Tunisie?

   La capitale de la Tunisie est Tunis.

3. Quand est-ce que la Tunisie est devenue indépendante? Quel était son rapport avec la France avant son indépendance?

   Elle est devenue indépendante en 1956. C'était un protectorat de la France à partir de 1883.

4. Qu'est-ce qui caractérise le régime politique tunisien?

   C'est une République qui se caractérise par un pouvoir détenu par un parti unique, le

   Néo-Destour.

5. Illustrez l'importance que la Tunisie accorde à l'éducation.

   Answers will vary.

L'immigration magrébine en France

6. Montrez l'importance de l'immigration maghrébine en France. Identifiez...

   A. le pourcentage de la population française représenté par les Magrébins.

      Les Magrébins représentent 5% de la population française.

   B. les raisons de leur immigration.

      Ils sont venus pour raisons de regroupement familial et pour des raisons économiques.

   C. l'influence des Magrébins en France.

      Answers will vary.

Les contes magrébins

7. Caractérisez les quatre différents types de contes maghrébins.

   A. **Il y a des contes religieux qui attribuent aux saints d'extraordinaires miracles.**

Continued on next page

B. Il y a aussi des contes plaisants et humoristiques comme le héros comique le plus

populaire de l'Orient, Joha.

C. Il y a des contes d'animaux, notamment en Kabylie: le chacal, le hérisson, ou le lièvre

sont des héros familiers pleins de ruse.

D. Il existe de nombreux contes dont le récit ressemble à celui des contes occidentaux.

6 Dites ce que les personnes suivantes font. Formez une phrase avec le verbe réfléchi entre parenthèses.

MODÈLE: Pierre nage au club. (s'entraîner)
Il s'entraîne au club.

1. Aïcha et Karim vont au supermarché. (se rendre)

   Ils se rendent au supermarché.

2. Sabine et moi, nous jouons dans la cour. (s'amuser)

   Nous nous amusons dans la cour.

3. Toi et Jérémie, vous faites les courses. (s'occuper de)

   Vous vous occupez des courses.

4. Chloé et Sophie prennent rendez-vous pour ce soir. (se donner)

   Elles se donnent rendez-vous pour ce soir.

5. Florence et Marc recommencent leur travail. (se remettre à)

   Ils se remettent au travail.

6. Sabine et moi, nous écoutons de la musique et chattons sur Facebook après les cours. (se détendre)

   Nous nous détendons après les cours.

7. Saïd n'a pas confiance en son partenaire. (se méfier de)

   Il se méfie de son partenaire.

Nom: _____ Date: _____

7 Répondez **négativement**. Attention au verbe réfléchi!

> **MODÈLE:** Pourquoi est-ce que tu te méfies de moi?
> **Je ne me méfie pas de toi!**

1. Pourquoi est-ce que vous vous dépêchez?

   Nous ne nous dépêchons pas! _____

2. Pourquoi est-ce qu'elle s'inquiète?

   Elle ne s'inquiète pas! _____

3. Pourquoi est-ce qu'il se dépêche?

   Il ne se dépêche pas! _____

4. Je vois que vous vous amusez!

   Nous ne nous amusons pas! _____

5. Pourquoi est-ce qu'ils se disputent?

   Ils ne se disputent pas! _____

6. Pourquoi est-ce que vous vous reposez?

   Nous ne nous reposons pas! _____

7. Pourquoi est-ce que tu te couches?

   Je ne me couche pas! _____

8 Complétez avec le **passé composé** du verbe réfléchi entre parenthèses.

> **MODÈLE:** Mlle DuBois **s'est levée tôt.** (se lever)

Ensuite, elle (1)_____ **s'est lavée** _____ (se laver), et elle (2) _____ **s'est habillée** _____

(s'habiller). Puis, elle (3) _____ **s'est brossé** _____ (se brosser) les dents. Elle et son

amie étaient en retard pour aller au travail, donc, elles (4) _____ **se sont dépêchées** _____ (se

dépêcher). Elles (5) _____ **se sont arrêtées** _____ (s'arrêter) à la boulangerie où elles (6)

_____ **se sont acheté** _____ (s'acheter) un croissant. Quand Mlle Du Bois

(7) _____ **s'est présentée** _____ (se présenter) à son travail, elle (8) _____ **s'est excusée** _____

(s'excuser).

9 Formez une question avec le verbe réfléchi au **passé composé**, puis complétez la réponse.

> **MODÈLE:** (se connaître) Ils **se sont connus** quand**?**
> **Ils se sont connus** pendant les vacances.

1. (se retrouver) Elles ___se sont retrouvées___ quand?

   ___Elles se sont retrouvées___ après la séance de cinéma.

2. (se rencontrer) Vous ___vous êtes rencontré(e)s___ quand?

   ___Nous nous sommes rencontré(e)s___ pendant le match.

3. (se donner rendez-vous) Elles ___se sont donné rendez-vous___ où?

   ___Elles se sont donné rendez-vous___ au café.

4. (se présenter) Vous ___vous êtes présenté(e)s___ où?

   ___Nous nous sommes présenté(e)s___ à l'entrée de la piscine.

5. (se séparer) Ils ___se sont séparés___ quand?

   ___Ils se sont séparés___ il y a un mois.

10 Répondez négativement aux questions en utilisant un verbe réfléchi au **passé composé**.

> **MODÈLE:** Ils se sont retrouvés?
> Non, **ils ne se sont pas retrouvés.**

1. Elles se sont entendues?

   Non, ___elles ne se sont pas entendues.___

2. Vous vous êtes appelés?

   Non, ___nous ne nous sommes pas appelés(e)s.___

3. Ils se sont vus?

   Non, ___ils ne se sont pas vus.___

4. Elles se sont rencontrées?

   Non, ___elles ne se sont pas rencontrées.___

5. Vous vous êtes reconnus?

   Non, ___nous ne nous sommes pas reconnus.___

Leçon C

1 Faites correspondre le genre de logement à sa description. Choisissez de la liste suivante.

une maison individuelle   une cité   une maison mitoyenne
une résidence secondaire   une ancienne ferme   une villa
un HLM   un studio

MODÈLE: On l'occupe le week-end ou pendant les vacances.
          C'est une résidence secondaire.

1. C'est un joli logement isolé au centre d'un jardin.

   C'est une villa. _____

2. C'est une résidence avec beaucoup de pièces souvent occupée par une famille.

   C'est une maison individuelle. _____

3. Il est composé d'une seule pièce avec une petite salle de bain.

   C'est un studio. _____

4. C'est un habitat collectif à caractère social établi avec l'aide du gouvernement.

   C'est un HLM. _____

5. Il y a juste un mur qui sépare cette résidence de la résidence d'à côté.

   C'est une maison mitoyenne. _____

6. Située à la campagne où on cultivait les champs, elle était transformée en résidence.

   C'est une ancienne ferme. _____

7. C'est un groupement de logements ou d'immeubles.

   C'est une cité. _____

2 Complétez ces petites annonces avec un mot ou expression de la liste suivante.

HLM   villa   maison individuelle
résidence secondaire   ancienne ferme   studio

1. À louer. _____Studio_____. Grande pièce avec canapé lit. Etage élevé avec ascenseur. Proche métro.

2. À vendre. _____Villa_____. Très bon état avec grand jardin. Piscine. Six pièces. Dans la région de la Côte d'Azur.

3. Cherche _____ancienne ferme_____ à la campagne en bon état ou à rénover.

4. À vendre. _____Maison individuelle_____ en ville. Bonne distribution. Grand living, trois chambres, garage. Zone commerciale à proximité.

5. Bonne affaire à ne pas manquer. _____Résidence secondaire_____ à 100Km de Paris. Idéalement située au bord de la Marne. Très calme. Idéal pour le weekend ou les vacances.

6. À louer. Appartement situé dans un _____HLM_____ banlieue Sud. Métro à proximité. Bon état. Living, deux chambres, petite cuisine.

3 Votre nouvelle maison a besoin de plusieurs réparations. Complétez chaque phrase avec la réparation qu'il faut. Consultez la liste de verbes qui suit.

installer   accrocher   cirer   poser   enfoncer   peindre

MODÈLE: On dirait que les murs sont sales.
Nous pourrions peindre les murs.

1. On dirait que le papier peint est vieux.

   Nous pourrions poser un nouveau papier peint.

2. On dirait que la moquette est sale.

   Nous pourrions installer une nouvelle moquette.

3. On dirait que le parquet n'est plus très beau.

   Nous pourrions cirer le parquet.

4. On dirait qu'il y a des tableaux à poser.

   Nous pourrions accrocher des tableaux.

5. Voici les marteaux. Qu'est-ce que nous pouvons faire?

   Nous pourrions enfoncer des clous.

4 Complétez avec un mot de vocabulaire choisi de la liste suivante.

propres	papier peint	nettoyé	moquette	refaire	enlevé
enfoncé	sale	accroché	peindre	ciré	

Quel week-end! Mes parents ont décidé de (1) _____refaire_____ ma chambre. C'est

vrai que le (2) ___papier peint___ des murs était vieux et (3) _____sale_____.

Et puis je ne l'aimais plus. J'ai choisi de (4) _____peindre_____ les murs en blanc. C'est

moi et ma mère qui avons (5) _____enlevé_____ le vieux papier. Puis, mon père a

(6) _____nettoyé_____ les murs qui étaient assez sales, et tout le monde a peint. Une

fois que les murs étaient (7) _____propres_____, nous avons

(8) _____accroché_____ mes posters. C'est moi qui ai (9) _____enfoncé_____

les clous. Je me suis occupée de la décoration et mes parents ont (10) _____ciré_____

le parquet. La semaine prochaine, on va installer une nouvelle (11) _____moquette_____

sur le plancher du couloir.

Viens-vite! Tu vas être étonnée du changement!

5 **Rencontres culturelles.** Répondez aux questions d'après le dialogue de la **Leçon C**.

1. Où Adja a-t-elle grandi?

   Elle a grandi dans un HLM.

2. Qu'est-ce qui pour elle a été le plus difficile à faire?

   Pour elle, le plus difficile a été de poser le papier peint.

3. Qu'est-ce qui reste encore à faire dans l'appartement?

   Il reste à poser les tableaux.

4. Avec quoi Élodie et sa mère vont-elles aider Adja?

   Elles vont enfoncer les clous pour accrocher les tableaux.

6 Répondez aux questions. Référez-vous aux **Points de départ** de la **Leçon C**.

Les HLM

1. Qu'est-ce que c'est que les HLM?

   les HLM sont un système d'immeubles qui offre des appartements à bon marché.

2. Qui peut résider aux HLM?

   Un français sur cinq peut en bénéficier. Ce sont souvent les immigrés ou les familles

   nombreuses qui y habitent.

Les allocations familiales

3. Qui peut bénéficier des allocations familiales en France?

   Toute personne résidant en France, parent de deux enfants, française ou non, peut

   bénéficier des allocations familiales.

4. Pourquoi est-ce que l'état donne des allocations à certaines familles?

   Les allocations familiales sont un revenu supplémentaire payé à toutes les familles

   nombreuses quel que soit leur revenu.

5. Est-ce que toutes les familles françaises paient les mêmes impôts? Expliquez.

   Il y a une réduction d'impôts qui augmente avec le nombre d'enfants.

6. De quoi est-ce que les parents peuvent bénéficier à partir du troisième enfant?

   À partir du troisième enfant, la mère ou le père peut bénéficier d'un congé parental sans

   perte de salaire pendant un an.

7. De quoi est-ce qu'une femme qui a élevé trois enfants en France peut bénéficier et pourquoi?

   Une femme qui a élevé au moins trois enfants sans travailler peut bénéficier d'une

   retraite.

Continued on next page

La Francophonie: le Sénégal

8. Où se situe le Sénégal, et quel est le nom de sa capitale?

   Le Sénégal se trouve dans l'Afrique de l'Ouest. Sa capital est Dakar.

9. Combien de langues nationales existent au Sénégal? Quelle langue est la plus importante? Laquelle est la langue officielle du pays?

   Il existe six langues nationales différentes dont la plus importante est le wolof. La langue

   officielle est le français.

10. Expliquez comment le Sénégal est associé historiquement avec la France.

    Le Sénégal était une ancienne colonie française, indépendante depuis 1960.

11. Décrivez le gouvernement sénégalais.

    Le Sénégal est une République semi-présidentielle.

12. Parlez de l'économie du Sénégal.

    Le Sénégal est un pays industrialisé avec de nombreuses compagnies multinationales.

    françaises et américaines. L'économie sénégalaise est dominée par la pêche et le tourisme.

13. Qui est Léopold Sédar Senghor?

    Léopold Sédar Senghor est un écrivaine sénégalais.

14. Qui est Youssou N'Dour?

    Youssou N'Dour est un musicien sénégalais.

Le logement traditionnel au Senégal

15. Comment habitaient traditionnellement les Senégalais?

    Traditionnellement, les Sénégalais habitent dans des concessions formées d'un groupe

    de cases ou de maisons.

16. Décrivez une case bombara.

    C'est une habitation circulaire avec un toit en chaume.

7 Comparez comment les personnes suivantes font certaines activités avec **mieux** (++), **moins** (-), **aussi** (=) ou **plus** (+) . . .**que (qu')**.

MODÈLE: Les enfants ne mangent pas beaucoup. (-)
Les enfants mangent moins que les adultes.

1. Ma mère chante très bien. (++)

_____**Ma mère chante mieux que**_____ moi.

2. On vit assez bien ici. (=)

_____**On vit aussi bien ici que**_____ dans les autres régions du pays.

3. On accueillait souvent les touristes ici. (+)

_____**On accueillait plus souvent les touristes ici que**_____ dans le pays voisin.

4. Je cours très vite.(+)

_____**Je cours beaucoup plus vite qu'**_____ Alex.

5. Ah, toi, tu sais bien peindre ! (=)

_____**Ah, toi, tu sais peindre aussi bien que**_____ ton frère!

6. Nous ne parlons pas bien français. (=)

_____**Nous ne parlons pas aussi bien français que**_____ des autochtones.

7. Je vais souvent à Paris. (+)

_____**Je vais plus souvent à Paris que**_____ ma belle-mère.

8. Cet homme nage mal! (-)

_____**Cet homme nage moins bien que**_____ ses enfants.

Nom: _____   Date: _____

8 Lisez les informations, puis faites une comparaison entre le mode de vie des Français et celui des Américains. Formez une phrase avec l'expression entre parenthèses.

> MODÈLE: niveau moyen des revenus: *les Français /31000€ par an; les Américains /42000€ par an* (gagner)
> **Les Français gagnent moins que les Américains.**

1. durée du travail par an: *les Français /1560 heures; les Américains /1840 heures par an* (travailler)

   Les Français travaillent moins que les Américains.

2. temps passé devant la télévision: *les Français / 3h21 par jour; les Américains /4h28 par semaine* (regarder la télévision)

   Les Français regardent moins la télévision que les Américains.

3. longueur de vacances: *les Français / cinq semaines; les Américains /deux semaines* (être souvent en vacances)

   Les Français sont plus souvent en vacances que les Américains.

4. dépenses santé: *les Français/11% du PIB; les Américains/16% du PIB* (dépenser pour la santé)

   Les Français dépensent moins que les Américains pour la santé.

5. fréquentation cinématographique: *les Français/2,98 films par an; les Américains/4,7 films par an* (aller au cinéma)

   Les Français vont moins au cinéma que les Américains.

Nom: _____ Date: _____

9 Lisez les informations sur ce que font Paul et Luc. Puis écrivez une phrase qui compare les activités des deux garçons.

> MODÈLE: Paul va au café souvent. Luc va au café rarement.
> **Paul va plus souvent au café que Luc.**

1. Paul court vite. Luc court vite aussi.

   Paul court aussi vite que Luc.

2. Paul étudie sérieusement. Luc n'étudie pas très sérieusement.

   Paul étudie plus sérieusement que Luc.

3. Paul ne joue pas très bien au foot. Luc joue bien au foot.

   Paul joue moins bien au foot que Luc.

4. Paul chante très bien. Luc chante assez bien.

   Paul chante mieux que Luc.

5. Paul voyage souvent. Luc voyage rarement.

   Paul voyage plus souvent que Luc.

6. Paul ne dessine pas bien. Luc dessine très bien.

   Paul dessine moins bien que Luc.

7. Paul nage bien. Luc ne nage pas très bien.

   Paul nage mieux que Luc.

8. Paul regarde la télé. Luc regarde souvent la télé aussi.

   Paul regarde la télé aussi souvent que Luc.

10 Lisez le blog de la classe de Mme Mouille. Puis répondez aux questions en utilisant le superlatif.

Marie est très sérieuse, et étudie beaucoup. Caroline parle tout le temps. Nicole est très timide. Elle parle rarement aux autres élèves. Robert est très sportif. Nicolas ne fait pas souvent de sport, mais il aime dessiner et peindre. En fait, il le fait très bien.

MODÈLE: Quel élève parle le moins?
Nicole parle le moins.

1. Quelle élève parle le plus?

    Caroline parle le plus.

2. Quel élève fait du sport le plus souvent?

    Robert fait du sport le plus souvent.

3. Quel élève dessine le mieux?

    Nicolas dessine le mieux.

4. Quel élève fait du sport le moins souvent?

    Nicolas fait du sport le moins souvent.

5. Quelle élève étudie le plus?

    Marie étudie le plus.

11 Formez des phrases avec un adverbe à la forme superlative selon les indications de la question.

       MODÈLE: Elle/voyager/++ souvent
                                Elle voyage le plus souvent.

1. ces garçons/travailler/- sérieusement

    Ces garçons travaillent le moins sérieusement.

2. nous/voyager/++ fréquemment

    Nous voyageons le plus fréquemment.

3. vous/chanter/++ bien

    Vous chantez le mieux.

4. tu/courir/++ vite

    Tu cours le plus vite.

5. Marc/chanter/- bien

    Marc chante le moins bien.

6. vous/accrocher/++ bien les tableaux

    Vous accrochez le mieux les tableaux.

7. tu/travailler/- rapidement

    Tu travailles le plus rapidement.

Unité 4

Leçon A

1 Mettez les activités suivantes dans la catégorie logique.

la planche à voile   les sauts à ski   l'escalade   le parachutisme ascensionnel
le jet-ski   le kayak   le scooter de mer   le ski nautique
le saut à l'élastique

1. les sports de mer: __la planche à voile, le scooter de mer, le jet-ski, le kayak__

_____le parachutisme ascensionnel, le ski nautique, les sauts à ski,_____

2. les sports de montagne: _____l'escalade, le saut à l'élastique_____

_____

2 Lisez ce que chaque personne aime faire, puis proposez une activité sportive. Formez votre question avec une expression de la liste.

faire de l'escalade   faire du ski de fond   faire de la planche à voile
faire du saut à l'élastique   faire des sauts à ski   faire une randonnée équestre

    MODÈLE: J'aime faire de longues promenades à cheval.
                   Faire une randonnée équestre te dit?

1. J'adore sauter et j'adore les sports d'hiver!

    __Faire des sauts à ski te dit?__

2. J'adore aller au bord de la mer!

    __Faire de la planche à voile te dit?__

3. J'adore pratiquer les sports de montagne en été!

    __Faire de l'escalade te dit?__

4. J'adore aller loin et traverser la campagne dans la neige!

    __Faire du ski de fond te dit?__

5. Ce que j'adore, c'est sauter de très haut suspendu au bout d'une corde!

    __Faire du saut à l'élastique te dit?__

Nom: _____   Date: _____

3 Dites quel sport en plein air est pratiqué par les personnes suivantes selon les illustrations.

faire du kayak   faire une randonnée équestre
faire de l'escalade   faire de la planche à voile
faire du ski de fond   faire du saut à l'élastique
faire du parachutisme ascensionnel

MODÈLE: Richard
Richard fait du parachutisme ascensionnel.

1. Corinne   2. mes amis   3. Mlle Dagobert, vous

4. moi   5. toi et moi   6. toi

1. **Corinne fait une randonnée équestre.** _____

2. **Mes amis font de la planche à voile.** _____

3. **Vous faites du saut à l'élastique.** _____

4. **Je fais du kayak.** _____

5. **Nous faisons de l'escalade.** _____

6. **Tu fais du ski de fond.** _____

4 Faites correspondre chaque expression avec une expression de signification équivalente. Choisissez de la liste.

> Je suis persuadé(e).   Je vois les choses un peu différemment.   Sans aucun doute!

> **Modèle:**   Ce n'est pas exactement mon idée.
> **Je vois les choses un peu différemment**.

1. C'est évident!

   Sans aucun doute!

2. Moi, j'ai d'autres idées!

   Je vois les choses un peu différemment.

3. Ça c'est sûr!

   Sans aucun doute!

4. Vous avez de bons arguments. J'accepte votre explication.

   Je suis persuadé(e).

5. Je ne suis pas tout à fait d'accord avec vous.

   Je vois les choses un peu différemment.

5   **Rencontres culturelles.** Répondez aux questions d'après le dialogue de la **Leçon A**.

1. Est-ce que tout le monde est d'accord pour passer les vacances à la montagne?

   Oui, tout le monde est d'accord pour les vacances à la montagne.

2. Qu'est-ce qui caractérise la région où Élodie et sa mère préfèreraient passer leurs vacances?

   Elles aimeraient une région moins froide, plus humide, plus chaude et plus près de la

   mer que Chamonix.

3. Comment est-ce que le père d'Élodie et Léo décrit le lieu où Élodie et sa mère voudraient aller?

   C'est une île avec un volcan et du soleil.

4. Qu'est-ce qu'elles pensent faire à La Réunion?

   On peut nager, faire des randonnées équestres, visiter le Piton de la Fournaise.

6 Répondez aux questions. Référez-vous aux **Points de départ** de la **Leçon A**.

La Réunion

1. Quel est le rapport entre la Réunion et la France?

   La Réunion est un département français.

2. Où est-ce que la Réunion est située?

   Elle est située dans l'Océan Indien à côté de Madagascar.

3. Décrivez la Réunion.

   C'est une île volcanique, très montagneuse où se trouve l'un des volcans

   les plus actifs du monde, le Pic de la Fournaise.

4. Quelle est sa capitale?

   Sa capitale est Saint-Denis.

5. Décrivez la population de cette île.

   Sa population est composée principalement de descendants d'esclaves venus d'Afrique

   et d'Inde, de descendants des colons blancs, et aussi d'immigrés venus de Chine.

6. Qu'est-ce qui caractérise l'économie de l'île?

   Le tourisme est l'activité économique la plus importante de l'île, mais l'agriculture,

   surtout la culture de la canne à sucre est aussi importante.

7. Qu'est-ce que c'est que *le maloya* et *le séga*?

   Le maloya est un genre de musique proche du blues issu de chants et de danses d'esclaves

   noirs. Le séga regroupe des danses et des musiques créoles populaires.

8. Les poèmes de quel poète célèbre français ont été inspirés par la Réunion?

   Les poèmes de Charles Baudelaire ont été inspirés par la Réunion.

Une autre île francophone

9. Quel est le rapport entre la France et la Corse?

   La Corse est une région française.

Continued on next page

10. Décrivez la Corse.

    Answers will vary.

11. Est-ce que l'économie de la Corse ressemble à celle de la Réunion? Expliquez.

    Oui, les deux économies son basées sur l'agriculture et le tourisme.

    Chamonix et le Mont Blanc

12. Décrivez Chamonix.

    Chamonix est une petite ville de 10.000 habitants et est considérée la commune la plus

    haute d'Europe.

13. Quel est le site touristique principal de cette ville? Décrivez-le.

    Le site touristique principal est le Mont Blanc. *Answers will vary.*

14. Quels genres de sport est-ce qu'on peut pratiquer à Chamonix?

    On peut pratiquer des sports alpins et des sports de haute montagne.

    Les Alpes

15. Les Alpes s'étendent sur quels six pays européens?

    Les Alpes s'étendent sur l'Italie, la France, la Suisse, l'Allemagne, l'Autriche, et la Slovénie.

16. Quelle ville française est la plus grande ville des Alpes?

    La plus grande ville des Alpes est Grenoble.

7 Complétez chaque expression avec **le participe présent** du verbe entre parenthèses.

> **MODÈLE:** en **écoutant** vos conseils (écouter)

1. en _____ **attendant** _____ votre réponse (attendre)

2. en _____ **finissant** _____ le travail (finir)

3. en _____ **allant** _____ chez vous (aller)

4. en _____ **ayant** _____ confiance en vous (avoir)

5. en _____ **faisant** _____ une randonnée (faire)

6. en _____ **sachant** _____ vos qualités (savoir)

7. en _____ **voyant** _____ votre travail (voir)

8. en _____ **étant** _____ admiratif de votre travail (être)

8 Tout le monde fait deux choses en même temps. Formez une phrase avec un verbe au **présent** et un **participe présent**.

> **MODÈLE:** je/parler au téléphone/répondre à ses messages
> **Je parle au téléphone en répondant à mes messages.**

1. il/parler à sa voisine/ penser à autre chose

   Il parle à sa voisine en pensant à autre chose.

2. elle/chanter/prendre sa douche

   Elle chante en prenant sa douche.

3. elle/faire son travail/regarder une vidéo

   Elle fait son travail en regardant une vidéo.

4. je/écouter la radio/lire le journal

   J'écoute la radio en lisant le journal.

5. tu/être prudent /conduire la voiture

   Tu es prudent en conduisant la voiture.

6. ma mère/parler au téléphone/faire la cuisine

   Ma mère parle au téléphone en faisant la cuisine.

7. ils/faire des achats/surfer sur Internet

   Ils font des achats en surfant sur Internet.

9 Formez une seule phrase avec **un participe présent**.

> **Modèle:**   J'ai appris à faire du ski. J'allais à la montagne.
> **J'ai appris à faire du ski en allant à la montagne.**

1. Il est tombé dans l'eau. Il faisait de la planche à voile.

    Il est tombé dans l'eau en faisant de la planche à voile.

2. J'ai pris des photos. Je me promenais dans la forêt.

    J'ai pris des photos en me promenant dans la forêt.

3. Nous avons eu des émotions fortes. Nous faisions de l'escalade.

    Nous avons eu des émotions fortes en faisant de l'escalade.

4. Ils se sont amusés. Ils faisaient du cheval.

    Ils se sont amusés en faisant du cheval.

5. J'ai fait la connaissance de ma meilleure amie. Je fréquentais la MCJ.

    J'ai fait la connaissance de ma meilleure amie en fréquentant la MCJ

10 Complétez la réponse à chaque question avec l'expression négative logique: **ne…jamais, ne… rien, ne…personne, ne…plus, ne…aucun(e), ne que, ne…ni…ni.**

> MODÈLE: Tu veux manger quelque chose?
> Non merci, je **ne** veux **rien** manger.

1. Tu vas souvent au cinéma?

   Non, je ____**ne**____ vais ____**jamais**____ au cinéma.

2. Tu as de l'argent pour acheter le billet?

   Non, malheureusement je ____**n'**____ ai ____**pas/plus**____ d'argent.

3. Tu as des cousins à Paris?

   Non, je ____**n'**____ ai ____**aucun**____ cousin à Paris.

4. Tu connais quelqu'un ici?

   Non, je ____**ne**____ connais ____**personne**____ ici.

5. Tu as un chien et un chat?

   Non, je ____**n'**____ ai ____**ni**____ chien

   ____**ni**____ chat.

6. Tu as deux frères?

   Non, je ____**n'**____ ai ____**qu'**____ frère.

11 Répondez à la question en utilisant l'expression négative entre parenthèses.

> MODÈLE: Elle travaille toujours ici? (ne…plus)
> **Non, elle ne travaille plus ici.**

1. Ils vont souvent à la plage? (ne…jamais)

   Non, ils ne vont jamais à la plage. _____

2. Vous cherchez quelqu'un, mademoiselle? (ne…personne)

   Non, je ne cherche personne. _____

3. Tous le monde est arrivé à l'heure? (personne ne…)

   Non, personne n'est arrivé à l'heure. _____

4. Tes amis ont toujours faim? (ne…plus)

   Non, ils n'ont plus faim. _____

5. Tu veux manger quelque chose? (ne…rien)

   Non, je ne veux rien manger. _____

6. Tu as bu un soda? (ne…rien)

   Non, je n'ai rien bu. _____

7. Vous avez plusieurs chiens? (ne…que)

   Non, nous n'avons qu'un chien. _____

8. Gustave a des frères et des sœurs? (ne…ni…ni)

   Non, il n'a ni frères ni sœurs. _____

12 Formez des phrases avec **ne…ni…ni….**

> MODÈLE: nous/aller à la montagne/à la mer
> **Nous n'allons ni à la montagne ni à la mer.**

1. Je/aller au cinéma/à la fête

   Je ne vais ni au cinéma ni à la fête.

2. Nous/faire du parachutisme ascensionnel /du saut à l'élastique

   Nous ne faisons ni (du) parachutisme ascensionnel ni (du) saut à l'élastique.

3. Ils/aller au match de football/au concert

   Ils ne vont ni au match de football ni au concert.

4. Il/passer du temps/ au café /à la discothèque

   Ils ne passent du temps ni au café ni à la discothèque.

5. Vous/voyager en Corse/à la Réunion

   Vous ne voyagez ni en Corse ni à la Réunion.

Leçon B

1 **À la station de ski.** Faites correspondre un mot ou une expression de vocabulaire de la liste avec sa description.

> MODÈLE: Vous en portez aux pieds quand vous faites du ski.
> **des chaussures de ski**

des gants	un bonnet	des chaussures de ski
un télésiège	un moniteur/une monitrice	un masque de ski
un fuseau	des bâtons de ski	un forfait

1. C'est de cette personne que vous apprenez à faire du ski. _____**un moniteur/une monitrice**_____

2. On s'assied dessus pour monter aux pistes. _____**un télésiège**_____

3. On en porte pour ne pas avoir froid aux oreilles. _____**un bonnet**_____

4. C'est un genre de pantalon pour les skieurs. _____**un fuseau**_____

5. On en porte pour ne pas avoir froid aux mains. _____**des gants**_____

6. Ce sont des machins longs et minces. Un skieur s'en sert pour se guider.

    _____**des bâtons de ski**_____

7. On le présente pour accéder aux pistes. _____**un forfait**_____

8. On le porte pour se protéger les yeux. _____**un masque de ski**_____

2 Répondez aux questions associées avec le vocabulaire d'une station de ski.

> MODÈLE: Si l'on veut apprendre à skier, on peut apprendre avec qui?
> **On peut apprendre avec un moniteur ou une monitrice.**

1. Si l'on veut monter en haut des pistes, qu'est-ce qu'on prend?

   On prend un télésiège. _____

2. Qu'est-ce qu'on achète pour skier toute la journée?

   On achète un forfait. _____

3. De quoi est-ce qu'un skieur se sert pour se balancer et se guider?

   Un skieur se sert de bâtons de ski. _____

4. Qu'est-ce qu'on met pour ne pas avoir froid aux oreilles?

   On met un bonnet. _____

5. Si l'on ne veut pas avoir froid aux mains, qu'est-ce qu'on met?

   On met des gants. _____

6. Qu'est-ce qu'on porte pour avoir chaud aux jambes quand on fait du ski?

   On porte un fuseau. _____

7. Où est l'endroit où on fait du ski dans une station de ski?

   On fait du ski sur les pistes. _____

3 Mettez un cercle autour du mot qui ne va pas logiquement avec les autres.

1. un bonnet, des gants, (un forfait de ski)

2. une piste, un tremplin de saut à ski, (un moniteur)

3. un télésiège, un tremplin de saut à ski, (un masque de ski)

4. un fuseau de ski, un bonnet de ski, (un tremplin de saut à ski)

5. un forfait de ski, (un billet) un télésiège

6. des chaussures de ski, (un forfait de ski) un masque de ski

7. (une monitrice) des gants, des chaussures de ski

4 **Rencontres culturelles.** Répondez aux questions d'après le dialogue de la **Leçon B**.

1. Qu'est-ce qu'Élodie espère mieux faire après avoir passé un weekend à Combloux?

   Elle espère rentrer à la maison en skiant correctement.

2. Pourquoi Élodie a-t-elle toutes les chances de réussir?

   Il y aura des classes de ski le matin, l'après-midi, et le week-end. En plus, il y a 450

   kilomètres de pistes à Combloux.

3. Qu'est-ce qu'Élodie et Léo pensent faire le weekend?

   Ils pensent faire du snowboard et un peu de shopping.

4. Qu'est-ce qu'il faut apporter et qu'est-ce qu'on peut louer sur place?

   Il faut apporter des gants, un pantalon de ski, un bonnet et des lunettes. On peut louer

   les skis et les chaussures sur place.

5. Élodie est-elle organisée? Expliquez votre réponse.

   Non, elle a besoin d'être plus organisée. Elle ne peut pas trouver son billet de train.

Nom: _____ Date: _____

5 Répondez aux questions. Référez-vous aux **Points de départ** de la **Leçon B**.

La Savoie

1. Ou se trouve la Savoie?

   C'est une région frontalière avec l'Italie.

2. Historiquement, quel est le rapport de la Savoie avec la France?

   La Savoie est devenue une province française en 1860.

3. Décrivez la situation géographique de la Savoie.

   C'est un paysage de montagnes dans les Alpes avec des lacs, et des vallées.

4. Qu'est qui caractérise l'économie de la Savoie?

   Son économie est tournée vers l'imagerie, les industries du sport et des loisirs, l'énergie

   solaire, et la photovoltaïque.

5. Nommez un festival important qui a lieu en Savoie chaque année.

   Le festival du film d'animation à Annecy a lieu chaque année en Savoie.

6. Quels sont les fromages typiques de la région?

   Des fromages typiques de Savoie sont le beaufort, le reblochon, et la tomme.

7. Pourquoi est-ce que la ville de Chamonix est importante?

   C'est la plus ancienne station de ski à Savoie.

8. Qu'est-ce que c'est que la raclette savoyarde?

   La raclette savoyarde est un plat avec du fromage à raclette et du jambon.

Annecy

9. Faites la description de la ville d'Annecy.

   Answers will vary.

   _____

Les classes de neige

10. Qui organise des classes de neige?

    Les établissements scolaires peuvent organiser des classes de neige.

Continued on next page

11. Qui participe à ces classes, et combien de temps durent-elles?

    Les élèves participent à ces classes qui peuvent durer d'une à trois semaines.

12. Quel est le but de cette activité?

    Le but est de combiner le plaisir des activités de neige et le travail en classe.

    La francophonie: la récréation

13. Qu'est-ce que Saint-Martin?

    Saint-Martin est une île dans la mer des Antilles où l'on parle français.

14. Expliquez la différence entre les activités de catégorie « vert » et « bleu. »

    La catégorie «vert» offre beaucoup d'activités pour les gens qui aiment la nature. La

    catégorie «bleu» est pour les fanas des sports aquatiques.

6 Complétez avec le présent de **savoir** où **connaître**.

    MODÈLE: Est-ce que tu **connais** ma monitrice?

1. Est-ce que tu _____**sais**_____ où se trouve Annecy?

2. Non, mais nous _____**connaissons**_____ bien la station de ski, Chamonix.

3. Est-ce que Monique _____**sait**_____ faire des sauts à ski?

4. Est-ce que tes copines _____**connaissent**_____ cette chanson de Christophe Maé?

5. Est-ce que vous _____**savez**_____ quand on part en classe de neige?

6. Non, je ne _____**sais**_____ pas, mais c'est bientôt.

7. Est-ce que tu _____**connais**_____ le nouvel élève?

8. Est-ce que vous _____**connaissez**_____ le plat, la raclette savoyarde?

9. Oui, et mon ami _____**connaît**_____ un bon restaurant qui le sert.

7 Complétez avec **le subjonctif** du verbe régulier entre parenthèses.

> **MODÈLE:** Il faut que vous **prépariez** vos affaires.

1. Il faut que tu _____ **penses** _____ au passeport. (penser)

2. Il faut que nous _____ **finissions** _____ de ranger l'appartement. (finir)

3. Il faut que ta tante _____ **attende** _____ notre appel. (attendre)

4. Il faut que vous _____ **achetiez** _____ vos valise. (acheter)

5. Il faut que tu _____ **répondes** _____ à nos e-mails. (répondre)

6. Il faut absolument qu'ils _____ **arrivent** _____ à l'heure! (arriver)

7. Il faut peut-être que nous _____ **réservions** _____ des places dans le train aujourd'hui. (réserver)

8 Selon la situation, écrivez une phrase qui commence avec **il faut que** et utilise un verbe au **subjonctif**.

> **MODÈLE:** Vous n'avez pas réussi à votre examen. (travailler)
> **Il faut que vous travailliez.**

1. Nous allons souvent au cinéma. (acheter une carte de fidélité)

   Il faut que nous achetions une carte de fidélité.

2. Elles ont grossi. (manger des salades)

   Il faut qu'elles mangent des salades.

3. Tu veux une bonne note. (réussir á l'examen)

   Il faut que tu réussisses á l'examen.

4. Nous voulons revoir l'émission. (télécharger l'émission)

   Il faut que nous téléchargions l'émission.

5. Benjamin veut faire plus de sport. (se rendre à la salle de sport)

   Il faut qu'il se rende à la salle de sport.

6. Vous êtes malades. (rester à la maison)

   Il faut que vous restiez à la maison.

7. Tu dois appeler tes parents tout de suite. (utiliser son portable)

   Il faut que tu utilises ton portable.

9 Complétez avec **le subjonctif** du verbe irrégulier entre parenthèses.

    MODÈLE: Il faut que tu **ailles** au travail plus tôt aujourd'hui. (aller)

1. Il faut qu'elle _____ fasse _____ les courses avant midi. (faire)

2. Il faut que nous _____ puissions _____ vous contacter en cas d'urgence. (pouvoir)

3. Il faut qu'ils _____ sachent _____ utiliser l'appareil pour l'emprunter. (savoir)

4. Il faut qu'elle _____ veuille _____ venir avec moi. (vouloir)

5. Il faut que tu _____ viennes _____ me voir cet été. (venir)

6. Il faut que vous _____ voyiez _____ ce documentaire sur la Polynésie française! (voir)

7. Il faut que nous _____ prenions _____ rendez-vous avec le dentiste. (prendre)

10 Complétez avec **le subjonctif** du verbe irrégulier entre parenthèses.

    MODÈLE: Il faut que vous **buviez** plus d'eau minérale. (boire)

1. Il faut que tu _____ sois _____ gentil avec ta sœur. (être)

2. Il faut que nous _____ ayons _____ de meilleurs résultats. (avoir)

3. Il faut que ta famille _____ reçoive _____ mes parents. (recevoir)

4. Il faut qu'elles _____ viennent _____ à la maison. (venir)

5. Il faut que vous _____ voyiez _____ le nouveau papier peint de ma chambre. (voir)

6. Il faut qu'il _____ prenne _____ le temps de lire cette autobiographie. (prendre)

7. Il faut que vous _____ croyiez _____ à cette solution pour qu'elle marche. (croire)

11 Choisissez le bon verbe de la liste pour complétez le dialogue. Utilisez le **subjonctif**.

rester   aller   louer   prendre   attendre
aller   patienter   faire   acheter

–Bonjour monsieur. Où faut-il que nous _____**allions**_____ pour skier sur les meilleures pistes?

–Bonjour messieurs-dames. D'abord, il faut que vous _____**preniez**_____ la navette jusqu'à la

prochaine station. Ensuite, il faut que vous _____**attendiez**_____ votre tour au télésiège.

–Très bien. Faut-il que nous _____**achetions**_____ un forfait?

–C'est toujours préférable. Ce qui est sûr, c'est qu'il va falloir que vous _____**louiez**_____ des

chaussures de skis là-bas. Les vôtres ne sont pas assez solides.

–Merci bien, Monsieur. Mon chéri, faut-il que je _____**fasse**_____ du ski de fond pendant que

tu découvres les grandes pistes ?

–Non, je crois qu'il faut que nous _____**restions**_____ ensemble. Tu es prête?

–Il faut que tu _____**patientes**_____ un peu. Il faut que je j'_____**aille**_____ aux toilettes.

Leçon C

1 **Qu'est-ce qu'ils font?** Répondez à la question selon l'illustration.

1.

2.

3.

4.

5.

6.

1. __Ils font de la luge.__	4. __Il fait de la raquette de neige.__	
2. __Elle fait du speed riding.__	5. __Il fait du télémark.__	
3. __Ils font du taxi-ski.__	6. __Ils font du ski joering.__	

T'es branché? 3 Workbook

2 Les personnes suivantes vont faire un voyage. Selon la situation, écrivez une phrase qui dit ce qu'elles font. Consultez la liste d'expressions de vocabulaire.

obtenir un visa	faire un séjour
emporter une pièce d'identité	se renseigner à l'Office du tourisme
réserver une chambre	planifier un voyage
se faire vacciner	faire ses valises
vérifier de n'avoir rien oublié	

MODÈLE: Je téléphone à mon agent de voyage pour arranger des vacances.
Je planifie un voyage.

1. Je vais sur Internet pour trouver un bon hôtel.

   Je réserve une chambre.

2. Je vois indiqué sur mon passeport la permission d'entrer et de rester dans le pays.

   J'obtiens un visa.

3. Je vais chez le médecin pour être immunisé contre les infirmités de la région.

   Je me fais vacciner.

4. Je mets tout ce dont j'aurai besoin dans mes bagages.

   Je fais mes valises.

5. Je m'assure que j'ai tout ce qu'il me faut pour le voyage.

   Je vérifie de n'avoir rien oublié.

6. J'obtiens des informations touristiques.

   Je me renseigne à l'Office du tourisme.

7. Je mets mon passeport dans mon sac.

   J'emporte une pièce d'identité.

8. Je passe une semaine en Tunisie.

   Je fais un séjour en Tunisie.

3 Complétez l'expression avec un verbe de la liste.

vérifier	réserver	planifier	se renseigner
faire	vacciner	obtenir	

MODÈLE: **Planifier** un voyage.

1. _____**Réserver**_____ une chambre d'hôtel pour deux personnes.

2. _____**Se renseigner**_____ à l'Office du tourisme.

3. _____**Vérifier**_____ de n'avoir rien oublié.

4. Se faire _____**vacciner**_____ chez le médecin.

5. _____**Obtenir**_____ un passeport et un visa.

6. _____**Faire (planifier)**_____ un séjour.

4 **Rencontres culturelles.** Répondez aux questions d'après le dialogue de la **Leçon C**.

1. Qu'est-ce que la mère et le père de Léo et Élodie vont faire en arrivant à Combloux?

   Ils vont faire une balade sur le domaine.

2. Qu'est-ce que leur mère a hâte d'essayer?

   Elle a hâte d'essayer le ski de fond.

3. Qu'est-ce que Léo va faire?

   Il va faire du snowboard.

4. Quel problème est arrivé la dernière fois pendant que sa mère faisait de la luge?

   Elle s'est foulé la cheville.

5. Qu'est-ce que la famille va faire l'été prochain?

   Ils vont faire un voyage de bénévolat au Vietnam.

5 Répondez aux questions. Référez-vous aux **Points de départ** de la **Leçon C**.

Les stations de ski

1. Quel rôle important joue Chamonix dans l'histoire des sports d'hiver?

   Les premiers Jeux Olympiques d'hiver ont été organisés à Chamonix en 1924.

2. Parlez de l'immensité des domaines skiables des Alpes.

   L'ensemble des domaines skiables des Alpes propose plus de 6.000 kilomètres de pistes

   de ski avec 338 pistes qui couvrent 600 kilomètres.

3. Quelles sont les deux catégories de ski alpin des épreuves des Jeux Olympiques?
   Identifiez les sports d'hiver associés à chaque catégorie.

   Les épreuves des Jeux Olympiques de ski alpin se divisent en deux catégories: les

   épreuves plus techniques telles que le slalom et le slalom géant, et les épreuves de vitesse

   pure comme le Super-G et la descente.

   Les voyageurs volontaires en pays francophones

4. Quels sont des pays francophones qui ont besoin d'aide humanitaire?

   Des pays francophones qui ont besoin d'aide humanitaire sont le Burkina Faso, le

   Sénégal, le Mali, et le Bénin.

5. On peut participer à quels genres d'activités pour aider les autres dans ces pays?

   On peut participer à des actions d'entrepreneuriat solidaire, d'aide humanitaire, ou

   d'aide en milieu scolaire.

6 Vous partez en voyage. Dites qu'**il est nécessaire** de faire les choses suivantes. N'oubliez pas de mettre le verbe au **subjonctif**.

> **MODÈLE:** voir les monuments importants du pays
> **Il est nécessaire que je voie les monuments importants du pays.**

1. choisir l'itinéraire

   Il est nécessaire que je choisisse l'itinéraire.

2. réserver les chambres d'hôtels

   Il est nécessaire que je réserve les chambres d'hôtels.

3. être à l'heure à l'aéroport

   Il est nécessaire que je sois à l'heure à l'aéroport.

4. faire ma valise

   Il est nécessaire que je fasse ma valise.

5. savoir un peu la langue du pays

   Il est nécessaire que je sache un peu la langue du pays.

6. planifier le voyage

   Il est nécessaire que je planifie le voyage.

7. recevoir mon passeport

   Il est nécessaire que je reçoive mon passeport.

8. aller chez ma cousine qui habite là-bas

   Il est nécessaire que j'aille chez ma cousine qui habite là-bas.

7 Formez des phrases avec une expression indépendante et un verbe au **subjonctif**. Suivez le modèle.

> MODÈLE: il est important que/tu/faire toujours ses devoirs
> **Il est important que tu fasses toujours tes devoirs.**

1. il est essentiel que/je/avoir de bonnes notes

   Il est essentiel que j'aie de bonnes notes.

2. il est indispensable que/nous/se lever tôt

   Il est indispensable que nous nous levions tôt.

3. il vaut mieux que/vous/arriver l'heure

   Il vaut mieux que vous arriviez à l'heure.

4. il est nécessaire que/ils/être en forme

   Il est nécessaire qu'ils soient en forme.

5. il est indispensable que/vous/ étudier

   Il est indispensable que vous étudiiez.

6. il est important que/tu/savoir ces informations

   Il est important que tu saches ces informations.

7. il faut que/elle/ trouver un travail volontaire intéressant

   Il faut qu'elle trouve un travail volontaire intéressant.

8. il vaut mieux que/nous/se renseigner à l'Office du tourisme

   Il vaut mieux que nous nous renseignions à l'Office du tourisme.

8 Récrivez une seule phrase qui utilise une expression impersonnelle et un verbe au **subjonctif**. Suivez le modèle.

> **Modèle:**   Tu dois avoir un passeport. C'est nécessaire.
> **Il est nécessaire que tu aies un passeport.**

1. Tu dois te faire vacciner. C'est indispensable.

   Il est indispensable que tu te fasses vacciner.

2. Vous devez être en forme. C'est essentiel.

   Il est essentiel que vous soyez en forme.

3. Elle doit y aller. C'est important.

   Il est important qu'elle y aille.

4. Nous devons avoir ce document. C'est nécessaire.

   Il est nécessaire que nous ayons ce document.

5. Tu dois faire la réservation. C'est indispensable.

   Il est indispensable que tu fasses la réservation.

6. Ils doivent s'engager. C'est important.

   Il est important qu'ils s'engagent.

7. Tu dois obtenir des renseignements. C'est indispensable.

   Il est indispensable que tu obtiennes des renseignements.

Unité 5

Leçon A

1 Pour chaque situation, indiquez le service dont vous avez besoin dans un hôtel. Choisissez de la liste suivante.

la connexion Wifi	le centre de remise en forme	le service blanchisserie
la réceptionniste	le service de chambre	les chaînes câblées
le coffre-fort	le centre d'affaires	le concierge

1. Je voudrais faire nettoyer mes vêtements.

   le service blanchisserie

2. Je veux faire de l'exercice.

   le centre de remise en forme

3. J'ai besoin de travailler pour mon entreprise.

   le centre d'affaires

4. J'aime bien prendre mon petit déjeuner dans la chambre.

   le service de chambre

5. Je voudrais laisser mes objets de valeur à l'hôtel.

   le coffre-fort

6. J'aimerais qu'on me conseille sur les restaurants en ville.

   le concierge

7. J'ai besoin de réserver des places pour un spectacle au centre-ville.

   la connexion Wifi

8. Je voudrais voir un film dans ma chambre.

   les chaînes câblées

9. Je voudrais prolonger mon séjour.

   la réceptionniste

2 À quoi ça sert? Faites correspondre chaque objet ou service d'hôtel avec son usage.

_____D_____ 1. la connexion Wifi	A. faire de l'exercice
_____C_____ 2. la clé électronique	B. accueillir les clients
_____I_____ 3. le coffre-fort	C. ouvrir la porte de la chambre
_____F_____ 4. la climatisation	D. avoir accès à l'internet dans la chambre
_____G_____ 5. les chaines câblées	E. monter facilement à l'étage de sa chambre
_____E_____ 6. l'ascenseur	F. avoir une température agréable dans la chambre en été
_____B_____ 7. la réception	G. avoir un bon choix de programmes de télévision
_____H_____ 8. un bain à remous	H. se reposer dans l'eau pendant qu'on se lave
_____A_____ 9. le centre de remise en forme	I. laisser ses bijoux en sécurité à l'hôtel

3 Vous vous installez dans l'hôtel. Numérotez les choses que vous faites dans l'ordre logique.

_____5_____ J'ouvre la porte de la chambre avec la clé électronique.

_____4_____ Je prends l'ascenseur pour arriver à ma chambre.

_____2_____ Je me présente à la réception.

_____6_____ Je m'installe dans la chambre et mets la climatisation.

_____3_____ Le réceptionniste m'accueille, prend mon passeport et me donne la clé.

_____7_____ Je me repose dans le bain à remous.

_____1_____ J'arrive à l'hôtel.

4 Répondez aux questions d'après le dialogue des **Rencontres culturelles** de la **Leçon A**.

1. Où Léo et Justin ont-ils décidé de réserver une chambre d'hôtel?

   Ils ont décidé de réserver une chambre d'hôtel à Monaco (Monte Carlo).

2. Pourquoi Justin décide-t-il de téléphoner à l'hôtel?

   Ils sont très imprécis sur les prestations.

3. Quelles prestations offre réellement l'hôtel?

   Ils ont le Wifi, des chaînes câblées, il y a un jacuzzi dans la chambre, et on peut prendre

   le petit déjeuner dans la chambre sans payer le supplément.

5 Répondez aux questions suivantes. Référez-vous aux **Points de départ** de la **Leçon A**.

La tradition hôtelière française

1. En parlant de la tradition hôtelière en France, quel genre d'hôtel est « un palais »?

   C'est un hôtel de grand luxe.

2. Pourquoi serait-il intéressant de rester dans un hôtel du réseau Relais et Châteaux?

   C'est une hôtellerie installée dans des demeures historiques comme des châteaux, des

   pavillons de chasse à la campagne, et des hôtels particuliers dans les villes.

La Francophonie: Monaco

3. Qu'est-ce qui fait aujourd'hui la réputation de Monaco?

   Son rocher, son célèbre circuit automobile en pleine ville, son port de plaisance,

   son casino et sa famille princière font la réputation de Monaco.

4. Monaco est connue par quel autre nom?

   On l'appelle aussi Monte Carlo.

5. Monaco a quel genre de gouvernement?

   C'est une principauté indépendante.

6. Où se trouve Monaco, et quelle est sa taille?

   Monaco est située sur la côte méditerranéenne entre les villes françaises de Nice et

   Menton. Elle mesure juste 1,5 km2 et a 30.000 habitants.

7. Historiquement, Monaco est liée à quelle famille célèbre qui y règne toujours?

   L'histoire de Monaco est liée à la famille Grimaldi.

8. Comment est-ce que Monaco est liée à la France?

   Monaco est liée à la France par une union douanière.

9. À quelles personnes célèbres est-ce que cette ville touristique doit sa réputation?

   Elle doit sa réputation à la fin du XIXème siècle et au début du XXème siècle à l'aristocratie

   des princes russes, puis dans les années 1950 à Hollywood et ses stars comme Grace Kelly.

Continued on next page

10. Qui est le prince régnant aujourd'hui, et comment s'appellent ses sœurs?

Prince Albert est le prince régnant aujourd'hui. Ses sœurs sont les princesses Caroline

et Stéphanie.

11. Qui assiste au Bal de Rose? Qui l'a créé, et à qui sont renversés ses bénéfices?

Le Bal de Rose réunit la famille Grimaldi et des grands noms du monde du spectacle.

Grace Kelly l'a créé et ses bénéfices sont reversés à la Fondation Princesse Grace.

12. C'est quoi la fondation Princesse Grace?

C'est une œuvre de bienfaisance au service des personnes en difficulté, des enfants

défavorisés, d'autres actions humanitaires et aussi philanthropiques et artistiques.

6 Formez une phrase avec un verbe au **subjonctif**. Suivez le modèle.

> **MODÈLE:**   je préfère que/nous/aller à Monaco
> **Je préfère que nous allions à Monaco.**

1. je souhaite que/ vous/réserver une chambre qui a un bain à remous

Je souhaite que vous réserviez une chambre qui ait un bain à remous.

2. nous voulons que/ tu/choisir un hôtel près de la plage

Nous voulons que tu choisisses un hôtel près de la plage.

3. je préfère que/la chambre/avoir une vue sur la mer

Je préfère que la chambre ait une vue sur la mer.

4. je souhaite que/ma meilleure amie/venir avec nous

Je souhaite que ma meilleure amie vienne avec nous.

5. j'aimerais que/ l'hôtel/être moderne

J'aimerais que l'hôtel soit moderne.

6. je veux que/vous/me donner quelques précisions sur les prestations de l'hôtel

Je veux que vous me donniez quelques précisions sur les prestations de l'hôtel.

7. mon père exige que/on/pouvoir accéder à une connexion Wifi

Mon père exige qu'on puisse accéder une connexion Wifi.

8. je désire que/nous/faire la réservation tout de suite

Je désire que nous fassions la réservation tout de suite.

7 Complétez la phrase avec une expression logique choisie de la liste. N'oubliez pas de mettre le verbe au **subjonctif**!

prendre une photo de la tour Eiffel
passer beaucoup de temps à la plage
voir les peintures impressionnistes
avoir une connexion Wifi

faire de l'escalade
rester dans un hôtel de luxe
faire une randonnée équestre
parler français

MODÈLE: Puisque j'aime bien les chevaux, je désire que nous **fassions une randonnée équestre.**

1. Comme logement j'aimerais que nous

   restions dans un hôtel de luxe.

2. Puisque que nous allons à la montagne, je veux qu'on

   fasse de l'escalade.

3. Puisque j'apporte mon ordinateur, j'exige que la chambre

   ait une connexion Wifi.

4. Si vous allez à Nice, je veux que vous

   passiez beaucoup de temps à la plage.

5. Quand tu iras à Paris, maman désire que tu

   prennes une photo de la Tour Eiffel.

6. Vous ne devez pas parlez anglais quand vous êtes en France. J'exige que vous

   parliez français.

7. Quand tu visiteras le musée d'Orsay, je veux que tu

   voies les peintures impressionnistes.

8 Répondez à la question en utilisant le verbe **être** au **subjonctif**. Commencez votre réponse avec l'expression **j'aimerais**, et finissez avec les mots entre parenthèses.

> MODÈLE: Comment tu trouves la prof? (moins sévère)
> **J'aimerais qu'elle soit moins sévère.**

1. Comment tu trouves les programmes? (plus variés)

   J'aimerais qu'ils soient plus variés.

2. Comment tu trouves le concert? (plus intense)

   J'aimerais qu'il soit plus intense.

3. Comment tu trouves ce jeu vidéo? (moins violent)

   J'aimerais qu'il soit moins violent.

4. Comment tu trouves ses projets? (plus ambitieux)

   J'aimerais qu'ils soient plus ambitieux.

5. Comment tu trouves ce livre? (plus intéressant)

   J'aimerais qu'il soit plus intéressant.

9 Exprimez votre opinion. Complétez chaque phrase comme vous voulez, et n'oubliez pas de mettre le verbe au **subjonctif**!

1. Je veux que le cours de français _____ *Answers will vary.* _____

2. Pendant les vacances, je désire que _____

3. À la cantine de mon école, je préfère que _____

4. Je veux que le prof de français _____

5. À mon lycée, j'aimerais que _____

6. Pendant les vacances, je préfère que _____

Leçon B

1 Mettez chaque aliment dans la catégorie logique.

l'agneau	la truite	le faisan	béchamel	la coquille Saint-Jacques
le chevreuil	béarnaise	les moules	les asperges	marinière
la langouste	le saumon	la courgette	le veau	les lasagnes
hollandaise	le brocoli	le filet de sole	le jambon	

1. la viande ___**l'agneau, le chevreuil, le veau, le jambon**___

2. le poisson ___**la truite, le saumon, le filet de sole**___

3. le fruit de mer ___**les moules, la coquille Saint-Jacques, la langouste**___

4. la volaille ___**le faisan**___

5. les sauces ___**béchamel, béarnaise, marinière, hollandaise**___

6. les légumes ___**les asperges, la courgette, le brocoli**___

7. les pâtes ___**les lasagnes**___

2 Faites correspondre avec la description.

A. le saumon   B. les coquillages (*shellfish*)   C. le faisan
D. le veau   E. le bœuf   F. le cochon
G. le lapin

_____**C**_____ 1. C'est un genre d'oiseau et une volaille.

_____**G**_____ 2. C'est un petit animal avec de longues oreilles. Il aime manger les carottes, et il court très vite dans les champs.

_____**F**_____ 3. Il est élevé à la ferme. C'est de lui qu'on a du jambon et du porc. On peut préparer un plat persillé de sa viande.

_____**D**_____ 4. C'est la viande blanche d'une jeune vache.

_____**A**_____ 5 C'est un genre de poisson qu'on trouve dans les rivières. Dans une poissonnerie, ou préparé à manger, on remarque sa couleur rose.

_____**E**_____ 6. Le steak, le rôti, et le hamburger sont des produits de ce genre de viande.

_____**B**_____ 7. On les trouve dans la mer. Des exemples sont des huîtres et des moules.

3 Vous êtes le chef d'un restaurant en Bourgogne. Complétez les noms des plats ou ajoutez une sauce convenable aux choix du menu. Vous pouvez consulter des menus en ligne!

MODÈLES: Saumon **à la sauce marinière**
Jambon **persillé**

~Entrées~

Moules **à la sauce béarnaise** _____

Coquilles **Saint-Jacques** _____

~Poissons~

Saumon **à la sauce béchamel** _____

Filets de sole **à la sauce marinière** _____

Truite **à la sauce hollandaise** _____

~Volailles~

Faisan **à la sauce blanche** _____

~Viandes~

Bœuf **bourguignon (à la sauce béarnaise)** _____

Lapin **à la sauce marinière** _____

Agneau **à la sauce béarnaise** _____

~Légumes~

Courgettes **à la sauce marinière** _____

Brocolis **à la sauce béchamel** _____

Asperges **à la sauce hollandaise** _____

4 Répondez aux questions d'après le dialogue des **Rencontres culturelles** de la **Leçon B**.

1. Quelles sont des spécialités de la Bourgogne?

   Answers will vary.

2. Quel légume accompagne le chevreuil? Nommez-le et expliquez ce que c'est.

   Les trompettes de la mort accompagnent le chevreuil. Ce sont des champignons.

3. Quel plat est-ce que le serveur conseille à Léo et Justin de prendre?

   Il leur conseille de prendre le bœuf bourguignon.

4. Sur quel plat est-ce que Justin et Léo ne sont pas d'accord? Pourquoi?

   Ils ne sont pas d'accord sur les escargots. Léo doute qu'ils aient bon goût.

5. Quel plat principal choisit Justin? Et Léo, quel plat choisit-il?

   Justin choisit le bœuf bourguignon, et Léo choisit le jambon persillé.

5 Répondez aux questions suivantes. Référez-vous aux **Points de départ** de la **Leçon B**.

1. Comment montreriez-vous que la Bourgogne était un État puissant au XIVème et XVème siècle?

   Answers will vary.

   _____

2. Qu'est-ce qui fait la beauté de Dijon?

   Ses maisons à colombages, ses beaux hôtels particuliers, et ses édifices religieux, églises

   et monastères de style gothique témoignent d'un riche patrimoine architectural.

3. Quels sont les atouts économiques de la Bourgogne et de Dijon?

   Dijon est devenu un pôle économique important avec des industries dans les domaines

   électrique, mécanique, et électronique, mais aussi pharmaceutique et agro-alimentaire.

   Comme produits agro-alimentaires on peut citer la moutarde, le chocolat, le pain

   d'épices et la production de crème de cassis.

4. Si vous deviez faire du tourisme en Bourgogne, quel moyen de transport choisiriez-vous?
   Pourquoi?

   Le train serait un bon moyen de transport. La ligne TGV entre le Rhin et le Rhône a

   ouvert en 2010.

5. Pour quelle spécialité alimentaire est-ce que Dijon est surtout connue?

   Dijon est surtout connue pour sa moutarde.

6 Cette lettre contient beaucoup d'expressions d'émotion, donc, complétez les phrases avec le **subjonctif** du verbe entre parenthèses.

Madame,

Je regrette que vous n'(1) _____examiniez_____ (examiner) pas notre proposition. Il s'agit

pourtant d'une bonne affaire. Ça me surprend que vous ne (2) _____donniez_____

(donner) pas suite à notre lettre. Je suis également étonné que vous ne

(3) _____lisiez_____ (lire) mes mails non plus. C'est dommage que vous ne

(4) _____vouliez_____ (vouloir) plus communiquer avec nous. J'ai peur que vous vous

(5) _____fassiez_____ (faire) maintenant une idée fausse sur notre produit.

Ça m'embête vraiment que vous n' (6) _____ayez_____ (avoir) aucune confiance

en nous. Je veux vous dire que j'ai été contente que vous m'(7) _____accueilliez_____

(accueillir) avec beaucoup de sympathie et j'ai été heureuse que vous

(8) _____parliez_____ (parler) pendant la démonstration. J'ai peur que certaines gens

vous (9) _____aient_____ (avoir) mal conseillés.

7 Formez une phrase avec une expression d'émotion et le verbe au **subjonctif**.

> MODÈLE: ça me surprend/vous/parler italien
> **Ça me surprend que vous parliez italien.**

1. j'ai peur que/nous/être en retard

   J'ai peur que nous soyons en retard.

2. je regrette/vous/ne… pas aimer cette solution

   Je regrette que vous n'aimiez pas cette solution.

3. c'est dommage/il/ne… pas faire de sport

   C'est dommage qu'il ne fasse pas de sport.

4. ça m'embête/tu/ne… pas venir au match

   Ça m'embête que tu ne viennes pas au match.

5. je suis étonné(e)/ils/avoir envie de partir

   Je suis étonné(e) qu'ils aient envie de partir.

6. c'est dommage/on/ne… pas aller au cinéma ensemble

   C'est dommage qu'on n'aille pas au cinéma ensemble.

7. je suis fâché(e)/nous/ne… pas pouvoir travailler sur ce projet en équipe

   Je suis fâché(e) que nous ne puissions pas travailler sur ce projet en équipe.

8. ça me surprend/vous/avoir beaucoup de réponses

   Ça me surprend que vous ayez beaucoup de réponses.

8 Formez une phrase avec une expression d'émotion et le verbe au **subjonctif**.

> **MODÈLE:** Je suis contente/nous dînons dans un bon restaurant dijonnais
> **Je suis content que nous dînions dans un bon restaurant dijonnais.**

1. c'est dommage/vous n'aimez rien sur la carte

   C'est dommage que vous n'aimiez rien sur la carte.

2. nous sommes contents/tu nous rends visite

   Nous sommes contents que tu nous rendes visite.

3. ça me surprend/elle ne vient pas

   Ça me surprend qu'elle ne vienne pas.

4. je suis triste/tu pars

   Je suis triste que tu partes.

5. nous sommes désolés/ils ne peuvent pas venir

   Nous sommes désolés qu'ils ne puissent pas venir.

6. je suis fâchée /vous ne prenez pas la décision de tout quitter

   Je suis fâchée que vous ne preniez pas la décision de tout quitter.

7. j'ai peur/l'examen est trop difficile

   J'ai peur que l'examen soit trop difficile.

8. c'est dommage/elle n'a pas le temps de venir passer le weekend

   C'est dommage qu'elle n'ait pas le temps de venir passer le weekend.

9 Écrivez une phrase qui commence avec une expression d'émotion de la liste.

je suis triste que	je suis étonné(e) que	je suis fâché(e) que
je suis content(e) que	j'ai peur que	je m'inquiète que

> **MODÈLE:** vous/venir nous voir
> **Je suis content(e) que vous veniez nous voir.**

1. vous/choisir ce plat

   Je suis étonné(e) que vous choisissiez ce plat. _____

2. ils/ être en retard

   Je suis fâché(e) qu'ils soient en retard. _____

3. elle/ne… pas donner de ses nouvelles

   Je suis triste qu'elle ne me donne pas de ses nouvelles. _____

4. tu/ne… pas faire ce projet

   Je m'inquiète que tu ne fasses pas ce projet. _____

5. elle/avoir faim

   Je suis étonné(e) qu'elle ait faim. _____

6. nous/devoir manger des escargots

   J'ai peur que nous devions manger des escargots. _____

7. vous/pouvoir nous rendre visite

   Je suis content(e) que vous puissiez nous rendre visite. _____

Nom: _____ Date: _____

10 Exprimez le doute et l'incertitude en complétant chaque phrase avec le **subjonctif** du verbe entre parenthèses.

MODÈLE: Je ne suis pas certain(e) que nous **voulions** manger dans ce restaurant. (vouloir)

1. Je doute que notre choix du restaurant _____ soit _____ bon. (être)

2. Je ne pense pas que le chef _____ sache _____ bien faire la cuisine. (savoir)

3. Je ne crois pas que les produits _____ soient _____ frais. (être)

4. Crois-tu que je _____ puisse _____ demander à voir les cuisines? (pouvoir)

5. Penses-tu que le guide _____ fasse _____ toujours toutes les observations nécessaires? (faire)

6. Es-tu certaine que nous _____ soyons _____ à la bonne adresse? (être)

7. Crois-tu que nous _____ nous nous trompions _____? (se tromper)

11 Si la personne qui parle exprime le doute, choisissez de compléter la phrase avec **le subjonctif** du verbe. Si elle n'exprime pas le doute, choisissez **l'indicatif** du verbe.

1. Je ne crois pas qu'elle _____ **B** _____ à l'heure.

   A. est   B. soit

2. Je crois que nous _____ **A** _____ en retard.

   A. sommes   B. soyons

3. Je suis certain que le bus ne _____ **A** _____ pas en avance.

   A. vient   B. vienne

4. Pensez-vous que le taxi _____ **B** _____ en avance?

   A. vient   B. vienne

5. À cause des grèves, il n'est pas évident que l'avion _____ **B** _____ à 22h00.

   A. part   B. parte

6. Il est évident que ce restaurant _____ **A** _____ un bon menu dijonnais.

   A. a   B. ait

7. Je suis certain qu'ils _____ **A** _____ venir demain pour la présentation.

   A. peuvent   B. puissent

8. Je ne suis pas certain que nous _____ **B** _____ aller au spectacle.

   A. pouvons   B. puissions

9. Je ne suis pas sûr qu'elle _____ **B** _____ venir au théâtre.

   A. veut   B. veuille

10. Je suis sûr que nous _____ **A** _____ venir chez vous.

    A. voulons   B. voulions

Nom: _____ Date: _____

Leçon C

1 Lisez les informations qui font référence au film « Populaire », et faites correspondre le mot de vocabulaire qu'on associe avec les films ou le cinéma. Choisissez la bonne expression de la liste.

Romain DURIS   Deborah FRANÇOIS   Bérénice BEJO

Réasisateur: Régis Roinsard
Sortie: le 28 novembre
Cinémas: Pathé, Gaumont

MODÈLE: Ça s'appelle « Populaire ».
le titre

la durée	la critique	le casting
le cinéma	le réalisateur	le genre
la bande-annonce	la version originale	la description

1. C'est avec Romain Duris, Deborah François et Bérénice Bejo. _____ **le casting** _____

2. C'est une comédie. _____ **le genre** _____

3. C'est Régis Roinsard qui a tourné le film. _____ **le réalisateur** _____

4. Ça dure 1h50. _____ **la durée** _____

5. C'est l'histoire d'une jeune fille qui veut devenir secrétaire et qui tape très vite à la machine. _____ **la description** _____

6. Le film a une presse formidable. _____ **la critique** _____

7. Ça passe au Gaumont Champs-Élysées. _____ **le cinéma** _____

8. Le film est en français. _____ **la version originale** _____

9. On peut regarder un extrait du film sur Internet pour voir si c'est à son goût.
_____ **la bande-annonce** _____

2 Répondez aux questions d'après ces informations sur ce film pris d'une page de *Figuroscope*.

De l'autre côté du périph

Comédie de David Charron avec Omar Sy et Laurent Lafitte.
Durée 1h36

L'épouse du premier patron de France est retrouvée morte près d'un bar clandestin à Bobigny, en pleine crise sociale. Deux inspecteurs sont chargés de l'enquête: d'un côté le flic de banlieue (Omar Sy) et, de l'autre, un ambitieux capitaine de la police (Laurent Lafitte). Un tandem de flics que tout oppose pour une comédie policière sympathique.

UGC Cité Les Halles; Le Rex; UGC Montparnasse; Gaumont Champs-Élysées-Marignan

---

1. C'est quel genre de film?

   C'est une comédie.

2. Quels acteurs jouent dans le film?

   Les acteurs sont Omar Sy et Laurent Lafitte.

3. Quelle est la durée du film?

   Le film dure 1h36.

4. Qui est le réalisateur ou la réalisatrice?

   Le réalisateur est David Charron.

5. Quel est le titre du film?

   Le titre du film est *De l'autre côté du périph*.

6. Le film joue dans quels cinémas?

   Le film joue aux cinémas suivants: UGC Cité Les Halles, Le Rex, UGC Montparnasse,

   et Gaumont Champs-Élysées-Marignan.

3 Répondez aux questions d'après ces informations sur ce film prises d'une page de *Figuroscope*.

L'Odyssée de Pi; Américain; **2h05. Aventure de Ang Lee avec Suraj Sharma, Adil Hussain, Irrfan Khan, Gérard Depardieu.**

Un enfant et un tigre naufragés, perdus dans l'océan. Un émerveillement constant, un poème onirique en 3D.

VOST: UGC Georges V; Gaumont Ambassade; MK2 Bibliothèque

VF: LE Rex; Bretagne; UGC Montparnasse

---

1. C'est quel genre de film?

   C'est une aventure.

2. Quels acteurs et actrices jouent dans le film?

   Les acteurs et actrices du film sont Suraj Sharma, Adil Hussain, Irrfan Khan, et Gérard

   Depardieu.

3. Quelle est la durée du film?

   Le film dure 2h05.

4. Qui est le réalisateur ou la réalisatrice du film?

   Le réalisateur est Ang Lee.

5. Quel est le titre du film?

   Le tire du film est L'Odyssée de Pi.

6. On peut aller à combien de cinémas pour voir la version du film doublée en français?

   Trois.

4 Exprimez ces phrases d'une manière différente. Regardez les expressions de vocabulaire aux pages 299 et 302 de votre manuel de classe.

1. Qu'est-ce que tu penses du film?

   Quelles sont tes impressions du film? _____

2. Je n'ai pas tellement envie de voir une aventure.

   Je ne suis pas trop d'humeur pour un film d'aventure. _____

3. Il me semble que c'est très amusant.

   Il paraît que c'est très drôle. _____

4. Tu voudrais voir quel genre de film?

   Quel genre de film te dit? _____

5. Le réalisateur de ce film est très bon.

   Ce film est d'un excellent réalisateur. _____

6. Je n'ai pas envie de voir une comédie dramatique.

   Je ne suis pas top d'humeur pour une comédie dramatique. _____

7. Que penses-tu du film?

   Quelles sont tes impressions du film? _____

Nom: _____   Date: _____

5 Répondez aux questions d'après le dialogue des **Rencontres culturelles** de la **Leçon C**.

1. Quel film est-ce que Karim et Élodie décident de voir?

   Ils décident de voir *Le Concert*.

2. Qui est le réalisateur du film? Est-ce que c'est un bon réalisateur?

   Radu Mihaileanu est le réalisateur, et il est excellent.

3. Comment est le casting du film?

   Le casting du film est composé de vraies vedettes.

4. C'est quel genre du film?

   C'est une comédie dramatique.

5. Est-ce que Karim a envie de voir ce genre de film?

   Non, il n'est pas trop d'humeur pour une comédie dramatique.

6. Comment est la critique du film?

   Les critiques donnent quatre étoiles au film.

7. Est-ce que Karim et Élodie ont la même opinion du film? Expliquez.

   Non, ils ne sont pas du même avis. Élodie dit que c'est un vrai chef-d'œuvre. Karim a

   trouvé le ton plat, les actions stéréotypées, et qu'il y avait trop de pauses entre les dialogues.

6 Répondez aux questions suivantes. Référez-vous aux **Points de départ** de la **Leçon C**.

Le septième Art en France

1. De quoi parle-t-on en France quand on parle du septième art?

   On parle du cinéma.

2. Quel événement historique associé au cinéma a eu lieu en France? Quand?

   L'invention cinématographique par les Frères Lumière a eu lieu en France en 1895.

3. Comment en France est-ce que le cinéma est aussi une pratique culturelle?

   Le cinéma en France est connu pour son expérimentation des formes, et n'est pas

   seulement un divertissement, mais un art.

4. Quels réalisateurs américains sont considérés aussi comme des auteurs en France?

   Clint Eastwood et Woody Allen sont des réalisateurs américains qui sont connus comme

   des auteurs en France.

5. Qu'est-ce qui fait de Paris la capitale de la cinéphilie?

   C'est la seule ville au monde où l'on puisse voir la même semaine 300 à 400 films dans

   30 ou 40 langues différentes.

6. Quelle publication est-ce qu'on peut consulter si on veut se renseigner sur les films qui jouent à Paris?

   On peut consulter *Pariscope*.

Le festival de Cannes

7. Qu'est-ce que c'est, *le Festival de Cannes*?

   Le Festival de Cannes est un festival du film international.

8. Quel est le nom du prix le plus prestigieux de ce festival? Expliquez l'importance de ce prix.

   Le prix le plus prestigieux est la Palme d'or, qui est offert pour le meilleur film de la

   compétition.

9. Qu'est-ce que c'est, le *Grand Prix* et le *Prix du Jury*?

   Le *Grand Prix* récompense le film qui manifeste un esprit de recherche et le plus

   d'originalité. Le *Prix du Jury* récompense un film aimé par le jury.

Continued on next page

10. Quels sont les chiffres qui montrent l'importance du Festival de Cannes comme festival mondial?

Aujourd'hui il y a 40.000 participants dont 4.000 journalistes, 500 photographes,

300 équipes de télévision, et 86 envoyés spéciaux pour la presse en ligne.

Les César

11. Les César en France ont été créés sur le modèle de quel événement hollywoodien aux États-Unis?

Les César en France ont été créés sur le modèle des Oscars hollywoodiens.

12. Est-ce qu'on offre des récompenses juste pour les films français aux César?

Non, on offre des récompenses aussi pour le meilleur film étranger.

13. Quelle actrice française a le record absolu pour avoir reçu un César?

Isabelle Adjani, qui a reçu cinq César, a le record absolu.

7 Pour chaque réponse écrivez une question qui commence avec un adjectif interrogatif (**quel, quelle, quels,** ou **quelles**) et les mots entre parenthèses.

> MODÈLE: (genre) **Quel genre de films est-ce que tu aimes bien voir?**
> Comme films, j'aime bien voir les comédies.

1. (film français) _____ **Quel film français a gagné dix César?** _____

   Le Dernier Métro est le film français qui a gagné dix César.

2. (l'actrice) _____ **Quelle actrice française joue dans le dernier film de James Grey?** _____

   Marion Cotillard est l'actrice française qui joue dans le dernier film de James Gray.

3. (musiciens français) _____ **Quels musiciens français ont le plus travaillé pour Hollywood?** _____

   Michel Legrand, Maurice Jarre, Alexandre Desplat sont les musiciens français qui ont le plus travaillé pour Hollywood.

4. (acteur français) _____ **Quel acteur français est le plus connu du monde?** _____

   Gérard Depardieu est l'acteur français le plus connu du monde.

5. (réalisateurs américains) **Quels réalisateurs américains sont connus comme des auteurs en France?**

   Clint Eastwood et Woody Allen sont des réalisateurs américains connus comme des auteurs en France.

6. (festival) _____ **Quel festival est le plus grand festival de films du monde?** _____

   Le Festival de Cannes est le plus grand festival de films du monde.

7. (prix) _____ **Quels prix sont offerts au Festival de Cannes?** _____

   Les prix offerts au Festival de Cannes sont *la Palme d'Or, le Grand Prix, et le Prix du Jury.*

8 Vous voulez arriver à connaître mieux quelqu'un dont vous venez de faire la connaissance. Posez la question indiquée et commencez avec un adjectif interrogatif (**quel, quelle, quels,** ou **quelles).**

>   MODÈLE: (la réalisatrice)
>   **Quelle est ta réalisatrice préférée?**

1. (le film préféré)

   Quel est ton film préféré?
   _____

2. (l'actrice que tu admires le plus)

   Quelle est l'actrice que tu admires le plus?
   _____

3. (le cinéma près de chez toi)

   Quel est le cinéma près de chez toi?
   _____

4. (la nationalité d'Ang Lee)

   Quelle est la nationalité d'Ang Lee?
   _____

5. (les vedettes préférées)

   Quelles sont tes vedettes préférées?
   _____

6. (les réalisateurs que tu connais)

   Quels sont les réalisateurs que tu connais?
   _____

7. (le long métrage que tu as vu deux fois)

   Quel est le long métrage que tu as vu deux fois?
   _____

9 Complétez chaque phrase avec le pronom possessif convenable: **lequel**, **laquelle**, **lesquels**, ou **lesquelles**.

> MODÈLE: Voici le lecteur avec **lequel** j'ai regardé mes premiers DVD.

1. Voici les livres dans _____lesquels_____ j'ai appris à lire.

2. Voici la casserole dans _____laquelle_____ ma mère prépare mon plat préféré.

3. Voici le cahier dans _____lequel_____ je note mes pensées intimes.

4. Voici l'unique stylo avec _____lequel_____ j'écris.

5. Voici la pièce dans _____laquelle_____ je passe beaucoup de temps.

6. Voici les copines avec _____lesquelles_____ je sors toujours.

7. Voici l'ordinateur sur _____lequel_____ je télécharge des films.

10 Écrivez une question logique. Suivez le modèle.

> MODÈLE: Martine parle du film.
> **Duquel?**

1. Je t'attends au cinéma.

   Auquel?
   _____

2. J'écris aux vedettes pour demander une photo.

   Auxquelles?
   _____

3. Mes amis discutent des réalisateurs.

   Desquels?
   _____

4. Manue rentre du festival.

   Duquel?
   _____

5. Je me sers d'un guide pour trouver un bon film.

   Duquel?
   _____

6. On parle de la description dans *Pariscope*.

   De laquelle?
   _____

Unité 6

Leçon A

1 Dites ce que l'on fait à la banque. Complétez chaque phrase avec un mot ou une expression de la liste.

monnaie	compte	bureau de change	encaisser
chéquier	carte bancaire	retirer	

1. Si vous voulez déposer votre argent à une banque, vous devez ouvrir un

   _____ **compte** _____ avec le banquier.

2. La caissière va vous donner un _____ **chéquier** _____ au cas où vous aurez besoin d'écrire des chèques.

3. Vous pouvez signer et _____ **encaisser** _____ un chèque avec la caissière.

4. Elle va vous donner des billets de banque et des pièces de _____ **monnaie** _____.

5. Pour utiliser le distributeur, vous devez obtenir une _____ **carte bancaire** _____.

6. Si vous avez besoin d'argent liquide, vous pouvez aussi _____ **retirer** _____ de l'argent du distributeur automatique.

7. Si vous voulez encaisser des chèques de voyage, ou échanger de l'argent de votre pays pour

   de l'argent du pays étranger que vous visitez, allez au _____ **bureau de change** _____.

2 Faites correspondre les mots et expressions associés à la banque avec leur description.

A. une carte banquière   D. un caissier/une caissière
B. un chéquier   E. un bureau de change
C. de l'argent liquide   F. un banquier/une banquière

_____ **B** _____ 1. C'est un petit cahier de chèques.

_____ **D** _____ 2. C'est la personne qui encaisse les chèques à la banque.

_____ **F** _____ 3. C'est une personne qui travaille à la banque.

_____ **C** _____ 4. C'est un ensemble de billets de banque et de pièces de monnaie.

_____ **A** _____ 5. On l'utilise pour retirer de l'argent d'un distributeur.

_____ **E** _____ 6. On peut y aller pour encaisser les chèques de voyage ou pour échanger de l'argent.

3 À quelle fac assisteriez-vous si vous aviez les intérêts suivants? Choisissez votre réponse de la liste.

la fac de chimie   la fac de droit
la fac d'économie   la fac d'histoire de l'art
la fac de génie civil   la fac de gestion d'économie d'entreprise
la fac d'infographie   la fac de sciences politiques
la fac de médicine   la fac de psychologie
la fac de langues   la fac de lettres

1. J'aimerais connaître les mécanismes du marché. _____ la fac d'économie _____

2. J'aimerais trouver des solutions aux problèmes légaux. _____ la fac de droit _____

3. Je m'intéresse à l'art des civilisations anciennes. _____ la fac d'histoire de l'art _____

4. J'aimerais travailler dans l'administration des affaires. _____ la fac de gestion économie de l'entreprise _____

5. Je voudrais participer dans le gouvernement du pays. _____ la fac de sciences politiques _____

6. J'aimerais être docteur ou infirmier. _____ la fac de médecine _____

7. J'aimerais apprendre à construire des ponts et des routes. _____ la fac de génie civil _____

8. Je m'intéresse à aider des gens avec des troubles de la personnalité et des problèmes

   personnels. _____ la fac de psychologie _____

9. Je m'intéresse à devenir interprète. Je vais étudier le français, l'espagnol, l'allemand,

   et le japonais. _____ la fac de langues _____

10. Je voudrais être prof de littérature. _____ la fac de lettres _____

11. J'aimerais travailler dans un laboratoire de recherches dans le développement de nouveaux

    produits comme les plastiques, les médicaments, les textiles, etc.

    _____ la fac de chimie _____

12. Je voudrais pouvoir faire des graphiques et des images à partir de l'ordinateur.

    _____ la fac d'infographie _____

4 Faites correspondre les métiers et les études qu'il faut suivre pour les préparer.

_____E_____ 1. ingénieur

_____G_____ 2. juge

_____A_____ 3. archéologue

_____D_____ 4. directeur d'administration publique

_____H_____ 5. interprète

_____B_____ 6. cardiologue

_____I_____ 7. contrôleur de gestion

_____F_____ 8. professeur de littérature

_____C_____ 9. chef de laboratoire

A. histoire de l'art
B. médecine
C. chimie/biochimie
D. sciences politiques
E. génie civil
F. lettres
G. droit
H. langues
I. gestion économie des entreprises

5 Répondez aux questions d'après le dialogue des **Rencontres culturelles** de la **Leçon A**.

1. Qu'est-ce que Justin voudrait faire à la banque?

   Il voudrait ouvrir un compte et obtenir une carte de crédit.

2. Il doit attendre combien de temps avant de pouvoir retirer de l'argent liquide du distributeur?

   Il doit attendre trois jours.

3. Quand ira-t-il à la banque et à quelle heure aura-t-il son compte?

   Il ira à la banque à 11h00 et il aura son compte à midi.

4. Qu'est-ce qui plaît à Justin dans son cours d'infographie?

   Il aime travailler sur la lumière, le réglage, et le positionnement.

5. Quelle est l'ambition de Justin?

   Il aimerait créer des films de quatrième dimension graphique.

6 Répondez aux questions suivantes. Référez-vous aux **Points de départ** de la **Leçon A**.

La Francophonie

1. Qu'est-ce qui caractérise le système bancaire français?

   Le système bancaire français est très centralisé.

2. Quels sont les cinq groupes qui dominent ce système bancaire?

   La BNP Paris-Bas (Banque nationale de Paris et des Pays-Bas); le groupe Crédit agricole

   avec le Crédit Lyonnais; la Société générale; la Banque populaire, la Caisse d'Épargne

   appelées la BPCE; la Poste.

3. Est-ce que le système bancaire en France a un nombre important d'employés? Expliquez.

   Oui, c'est un secteur qui emploie plus de 500.000 personnes. Les Banques forment le

   troisième employeur privé de France.

4. Quels chiffres illustrent la puissance des banques canadiennes?

   La Banque Royale du Canada est la plus grande banque du Canada. Elle sert 17 millions

   de clients, a plus de 80.000 employés, et plus de 1.200 succursales. Cette entreprise opère

   aussi aux États-Unis et dans 50 autres pays du monde.

5. Quelle est la plus vieille banque du Canada?

   La Banque de Montréal est la plus vieille banque du Canada.

6. Cette banque est connue sous quel nom aux États-Unis?

   Aux États-Unis, elle est connue sous le nom de BMO Harris Bank.

Retirer de l'argent en Europe

7. Autrefois quand on voyageait en Europe, on utilisait les chèques de voyage. Qu'est-ce qu'on utilise aujourd'hui pour obtenir de l'argent en voyageant?

   Aujourd'hui, la plupart des gens utilisent leur carte bancaire (de débit ou de crédit).

8. Pourquoi est-ce que c'est une bonne idée d'emmener deux cartes en voyageant?

   C'est une bonne idée d'emmener deux cartes, au cas où l'une d'entre elles ne marche plus,

   soit endommagée ou volée.

Continued on next page

9. Pourquoi est-ce que c'est une bonne idée de garder de l'argent liquide sur soi?

C'est une bonne idée de garder de l'argent liquide sur soi au cas où des magasins

n'acceptent pas la carte bancaire, la carte de crédit, ou les chèques de voyage.

10. À quoi est-ce que votre banque personnelle doit être connectée pour utiliser votre carte bancaire dans un distributeur automatique?

Pour utiliser votre carte bancaire dans un distributeur automatique, votre banque

personnelle doit être connectée au réseau international Cirrus ou PLUS.

11. Quel est l'avantage des chèques de voyage et des cartes bancaires?

L'avantage des chèques de voyage et des cartes bancaires est qu'ils peuvent être

remplacés sous 24 heures en cas de perte ou de vol.

7 Complétez avec **le présent** ou **le futur** du verbe entre parenthèses.

> **MODÈLE 1:** Si je viens à Paris, je **visiterai** le Musée du Louvre. (visiter)
> **MODÈLE 2:** Si tu **étudies**, tu recevras de bonnes notes. (étudier)

1. Si tu es libre, nous _____sortirons_____. (sortir)

2. Si elle ne _____travaille_____ pas, elle viendra. (travailler)

3. Si je peux, je te _____téléphonerai_____. (téléphoner)

4. Si vous voulez, nous _____irons_____ à l'exposition. (aller)

5. Si tu _____as_____ envie, nous partirons en week-end. (avoir)

6. S'il en a besoin, nous l'_____aiderons_____. (aider)

7. Si je _____trouve_____ un distributeur, je retirerai de l'argent de mon compte. (trouver)

8. S'il ne pleut pas, nous _____ferons_____ une promenade. (faire)

8 Formez une phrase qui commence avec **si** et a le premier verbe au **présent** et le deuxième verbe au **futur**.

> MODÈLE: je/étudier la littérature/être professeur
> **Si j'étudie la littérature, je serai professeur.**

1. il /étudier la gestion d'entreprise/chercher un poste de directeur financier

   S'il étudie la gestion d'entreprise, il cherchera un poste de directeur financier.

2. tu/aller à la fac de langues/travailler comme interprète

   Si tu vas à la fac de langues, tu travailleras comme interprète.

3. vous/faire du droit /pouvoir être juriste

   Si vous faites du droit, vous pourrez être juriste.

4. il/étudier la communication/être journaliste

   S'il étudie la communication, il sera journaliste.

5. ils/aller à l'université/étudier à la fac de médecine

   S'ils vont à l'université, ils étudieront à la fac de médecine.

6. elle/étudier l'histoire de l'art/devenir directrice de musée

   Si elle étudie l'histoire de l'art, elle deviendra directrice de musée.

7. je/trouver mon chéquier/t'écrire un chèque

   Si je trouve mon chéquier, je t'écrirai un chèque.

8. nous/avoir besoin d'encaisser un chèque/passer par la banque

   Si nous avons besoin d'encaisser un chèque, nous passerons par la banque.

9. je/vouloir une carte de débit/demander une Carte Bleue

   Si je veux une carte de débit, je demanderai une Carte Bleue.

9 Répondez aux questions d'après le modèle.

> **Modèle:** Qu'est-ce que tu feras, si tu es libre ce week-end? (faire du sport)
> **Si je suis libre ce week-end, je ferai du sport.**

1. Qu'est-ce que tu feras si tu as des vacances? (partir en voyage)

   Si j'ai des vacances, je partirai en voyage.

2. Qu'est-ce que tu feras si tu obtiens ce travail? (chercher un nouvel appartement)

   Si j'obtiens ce travail, je chercherai un nouvel appartement.

3. Que fera ta sœur si elle réussit à son bac? (s'inscrire à l'université)

   Si elle réussit son bac, elle s'inscrira à l'université.

4. Qu'est-ce que tu feras si elle ne t'appelle pas? (lui écrire un message)

   Si elle ne m'appelle pas, je lui écrirai un message.

5. Qu'est-ce que vous ferez si vous gagnez à la loterie? (créer une fondation)

   Si je gagne à la loterie, je créerai une fondation. (Si nous gagnons à la loterie, nous

   créerons une fondation.)

6. Qu'est-ce qu'ils feront s'ils sortent ce weekend? (aller au ciné)

   S'ils sortent ce weekend, ils iront au ciné.

10 Complétez avec le **futur** du verbe entre parenthèses.

>   MODÈLE: Quand j'aurai mon bac, je **prendrai** une année pour voyager. (prendre)

1. Quand nous aurons du temps, nous _____ferons_____ un voyage en France. (faire)

2. Aussitôt qu'elle finira ses études, elle _____vendra_____ tous ses livres de classe. (vendre)

3. Quand vous serez en vacances, vous ne _____lirez_____ plus que le journal. (lire)

4. Lorsque je me marierai, j'_____organiserai_____ une grande fête. (organiser)

5. Lorsque j'aurai les résultats du bac, j' _____enverrai_____ un message de remerciements à tous mes professeurs. (envoyer)

6. Dès que nous aurons le bac, nous _____nous inscrirons_____ en fac. (s'inscrire)

7. Aussitôt que j'aurai du travail, ma copine et moi, nous _____chercherons_____ un nouveau logement. (chercher)

11 Formez une phrase originale avec deux verbes au **futur**. Suivez le modèle.

>   MODÈLE: aussitôt que/finir mes devoirs
>   **Aussitôt que je finirai mes devoirs, je regarderai la télé.**

1. dès que/avoir des vacances

   Answers will vary. _____

2. quand/finir les études du lycée

   _____

3. quand/avoir 18 ans

   _____

4. aussitôt que/quitter cette classe

   _____

5. aussitôt que/arriver à la maison

   _____

6. dès que/avoir le temps

   _____

Leçon B

1 Quel genre de livres achèteraient les personnes suivantes à la librairie? Lisez leurs préférences, et choisissez une réponse de la liste.

les romans de science-fiction   les mangas
les thrillers   les biographies
la poésie   les autobiographies
les romans policiers   les nouvelles

1. J'aime les écrivains qui racontent l'histoire de leur vie. J'aime lire __les autobiographies__.

2. J'aime tout connaître de la vie d'un personnage célèbre. Je lis __les biographies__.

3. J'aime lire les histoires des détectives privés qui essaient de trouver la solution aux affaires criminelles. J'adore __les romans policiers__.

4. J'aime lire les histoires d'aventures situées dans le futur. Pendant l'histoire on profite de la technologie qui n'a pas encore été inventée. J'aime bien lire __les romans de science-fiction__.

5. Dans ce genre de littérature, il y a tant d'émotion et de sentiments dans si peu de lignes. Comme c'est beau la rime qu'on entend en la lisant! J'adore __la poésie__.

6. Le graphisme est toujours spectaculaire et j'adore l'action dans ce genre de livre d'origine japonaise. J'aime beaucoup lire __les mangas__.

7. Je n'ai pas le temps de lire un roman entier, donc, je lis souvent des contes pas très longs. Je lis __les nouvelles__.

8. Je lis des romans de suspense qui peuvent faire peur. Je choisis de lire __les thrillers__.

2 Faites correspondre la description avec le genre de littérature.

A. un best-seller   C. un recueil de poésie   E. une anthologie
B. un article   D. un livre de poche   F. un dictionnaire

_____B_____1. C'est un texte écrit par un journaliste sur un sujet d'intérêt dans un journal ou un magazine.

_____E_____2. C'est un ensemble dans le même livre des œuvres qui semblent les plus significatives.

_____F_____3. On utilise cet ouvrage pour chercher les mots qu'on ne connaît pas.

_____C_____4. C'est un ensemble de poèmes.

_____A_____5. Tous ces livres sont d'énormes succès.

_____D_____6. C'est un petit livre pratique et pas très cher.

3 **Vrai** ou **faux?** Indiquez si les phrases suivantes sont **vraies** ou **fausses**. Si la phrase est fausse, corrigez-là.

1. Un journaliste écrit des articles pour un magazine ou un journal.

   Vrai.

2. La poésie, je la trouve dans un manga.

   Faux. La poésie, je la trouve dans un recueil de poésie.

3. Jules Verne est un écrivain français célèbre pour ses romans de science-fiction.

   Vrai

4. *Confessions* ou *Mémoires* sont souvent des titres d'autobiographie.

   Vrai.

5. Une nouvelle est longue et un roman est court.

   Faux. Une nouvelle est courte et un roman est long.

6. L'été sur la plage, on lit souvent des best-sellers comme ceux de Marc Lévy.

   Vrai.

4 Répondez à la question d'après le dialogue des **Rencontres culturelles** de la **Leçon B**.

Léo parle de quels livres pendant sa conversation avec Justin dans la librairie?

1. Une drôle histoire d'amour par Marc Levy.

   Le voleur d'ombres.

2. Un roman par Le Clézio. C'est l'histoire d'une jeune fille pendant les années 1930.

   Ritournelle de la faim.

3. Un roman drôle et plein de tendresse par un écrivain congolais, Mabanckou.

   Demain, j'aurai 20 ans.

4. En lisant ce manga on devient voyageur.

   Dreamland.

5. Une nouvelle par Anna Galvada.

   L'Échappée belle.

5 Répondez aux questions suivantes. Référez-vous aux **Points de départ** de la **Leçon B**.

Les habitudes de la lecture des Français

1. Quel évènement littéraire important a lieu en France en automne?

   La distribution des prix littéraires.

2. Quel est le nom d'un prix littéraire offert en France?

   Le Prix Goncourt.

3. Nommez des suppléments hebdomadaires des journaux français qui ont comme but d'informer le public des meilleurs lectures de l'été à venir.

   Le Figaro littéraire et *Le Monde des livres.*

4. Quels sont des magazines français qui se spécialisent en littérature?

   Magazine Lire et *Le Magazine littéraire.*

5. Quels sont des magazines français qui accordent une place importante aux livres?

   L'Express et *Le Nouvel Observateur.*

Continued on next page

6. Nommez quelques émissions de télé littéraires qu'on regarde en France.

   "Un livre, un jour" (France 3), "Des mots de minuit" (France 2), "Ça balance à Paris"

   (Paris Première), et "Le Cercle"(Canal +).

7. Combien de français sont considérés comme lecteurs?

   Quatre-vingt-et-un pourcent des Français sont considérés comme lecteurs.

   La Francophonie: Écrivains

8. Quel prix littéraire est-ce que Jean-Marie Gustave Le Clézio a gagné, et quand est-ce qu'il l'a reçu?

   Il a gagné le Prix Nobel de Littérature en 2008.

9. Où et quand est-ce qu'il est né?

   Il est né à Nice en France en 1940.

10. Où était Le Clézio quand il a commencé à écrire à l'âge de sept ans?

    Il était sur un bateau qui l'emmenait avec sa mère de l'île Maurice au Nigéria.

11. Quelles expériences de sa vie ont inspiré quelques–uns de ses livres?

    Answers will vary.

    La Guadeloupe

12. Où est-ce que Maryse Condé est née?

    Maryse Condé est née en Guadeloupe.

13. Où est-ce qu'elle a étudié?

    Elle a étudié à la Sorbonne à Paris.

14. Où est-ce qu'elle a vécu et où est-ce qu'elle vit maintenant?

    Elle a vécu en Afrique dans plusieurs pays. Elle vit maintenant aux États-Unis et à

    la Guadeloupe.

15. Quels sont des thèmes de ses livres?

    Elle explore des questions fondamentales de race, de sexe, et de culture.

Continued on next page

16. Quel prix littéraire est-ce qu'elle a reçu? Quand est-ce qu'elle l'a reçu et pour quel livre?

Elle a reçu le Grand Prix Littéraire de la Femme en 1986 pour Moi, Tituba, sorcière

Noire de Salem.

17. Quels sont des thèmes de ses livres que vous trouvez intéressants?

Answers will vary.

6 Formez une phrase d'après le modèle.

> **Modèle:** il/parler de/ les prochaines vacances
> **Il parle des prochaines vacances.**

1. il/rêver de/devenir célèbre

   Il rêve de devenir célèbre.

2. ils/se méfier de/son jugement

   Ils se méfient de son jugement.

3. je/s'occuper de /mes affaires

   Je m'occupe de mes affaires.

4. je/avoir envie de/lire un roman policier

   J'ai envie de lire un roman policier.

5. il/se servir de/le dictionnaire

   Il se sert du dictionnaire.

6. vous/avoir besoin de/acheter une anthologie de pièces de théâtre

   Vous avez besoin d'acheter une anthologie de pièces de théâtre.

7. nous/se souvenir de/ vos promesses

   Nous nous souvenons de vos promesses.

8. tu/se méfier de/le chien méchant

   Tu te méfies du chien méchant.

7 Formez une phrase originale avec chaque expression.

MODÈLE: je/avoir besoin de
J'ai besoin d'un smartphone.

1. nous/avoir envie de

   Answers will vary.
   _____

2. je/rêver de

   _____

3. je/avoir peur de

   _____

4. elle/être amoureuse de

   _____

5. je/se souvenir de

   _____

6. nous/être au courant de

   _____

7. ils/être content de

   _____

8. elle/s'occuper de

   _____

8 Reliez les deux phrases avec le pronom relatif, **dont**.

> MODÈLE: C'est le livre. Je t'ai parlé de ce livre.
> **C'est le livre dont je t'ai parlé.**

1. Ce sont les vacances. Je me souviens bien de ces vacances.

   Ce sont les vacances dont je me souviens bien.

2. C'est un avenir. Il rêve de cet avenir.

   C'est un avenir dont il rêve.

3. C'est une attitude. Je me plains de cette attitude.

   C'est une attitude dont je me plains.

4. C'est un livre utile. Paul se sert souvent de ce livre.

   C'est un livre utile dont Paul se sert souvent.

5. C'est un travail important. Je vais m'occuper immédiatement de ce travail.

   C'est un travail important dont je vais m'occuper immédiatement.

6. C'est un bijou. J'ai envie de ce bijou.

   C'est un bijou dont j'ai envie.

7. C'est un contact important. Elle a besoin de ce contact.

   C'est un contact important dont elle a besoin.

8. C'est une décision. Je suis contente de cette décision.

   C'est une décision dont je suis contente.

9. C'est l'article intéressant. Je t'ai parlé de cet article.

   C'est l'article intéressant dont je t'ai parlé.

10. C'est une histoire. Je ne me souviens plus de cette histoire.

    C'est une histoire dont je ne me souviens plus.

9 Reliez les deux phrases avec le pronom relatif, **dont**. Dans ces phrases le pronom, **dont,** aura la signification, «whose.»

> **MODÈLE:** C'est la fille. Son père est médecin.
> **C'est la fille dont le père est médecin.**

1. C'est l'homme politique. J'écris la biographie de cet homme politique.

   C'est l'homme politique dont j'écris la biographie.

2. Je cherche un roman. L'auteur du roman est congolais.

   Je cherche un roman dont l'auteur est congolais.

3. C'est le garçon. Ses cousins habitent en Algérie.

   C'est le garçon dont les cousins habitent en Algérie.

4. C'est la femme. Ses enfants parlent trois langues.

   C'est la femme dont les enfants parlent trois langues.

5. C'est un livre impressionnant. L'auteur a beaucoup parlé de ce livre.

   C'est un livre impressionnant dont l'auteur a beaucoup parlé.

6. C'est l'écrivain. Les idées de cet écrivain m'intéressent beaucoup.

   C'est l'écrivain dont les idées m'intéressent beaucoup.

Leçon C

1 Complétez chaque phrase avec un mot ou une expression associés avec la poste. Choisissez de la liste.

boîte aux lettres   affranchissement   courrier   pèse   colis
boîte   poste   timbres   facteur

1. Si j'envoie un cadeau ou des livres, je demande une _____**boîte**_____ cartonnée.

2. À la poste, le postier _____**pèse**_____ le colis pour savoir combien c'est en kilos.

3. Puis, il met les timbres, et je paie le prix de l'_____**affranchissement**_____.

4. Si je veux envoyer des lettres, j'achète des _____**timbres**_____ que je mets sur l'enveloppe.

5. Je mets aussi l'adresse, et puis je place les lettres dans une _____**boîte aux lettres**_____.

6. Le travail du _____**facteur**_____, c'est de distribuer le courrier.

7. Si l'on n'est pas à la maison, on doit chercher le colis à la _____**poste**_____.

8. Est-ce que vous avez reçu beaucoup de lettres aujourd'hui? Oui, j'ai reçu beaucoup de _____**courrier**_____.

9. Et avez-vous reçu des paquets? Oui, j'ai reçu juste un _____**colis**_____.

2 Écrivez une phrase que vous diriez pour demander quelque chose dont vous avez besoin. Commencez votre phrase avec **il me faut**… et demandez un des objets de la liste.

des timbres   une boîte à lettres   une boîte cartonnée   un aérogramme

MODÈLE: Vous avez besoin d'une pochette en papier pour envoyer la lettre que vous venez d'écrire.
Il me faut une enveloppe.

1. Vous voulez affranchir deux lettres et une carte postale que vous allez envoyer.

   Il me faut des timbres.

2. Vous voulez envoyer une lettre par avion le moins cher possible.

   Il me faut un aérogramme.

3. Vous avez besoin de quelque chose dans lequel vous pouvez mettre des cadeaux que vous allez envoyer.

   Il me faut une boîte cartonnée.

4. Vous vous promenez dans la rue et vous cherchez la boîte où vous pouvez mettre du courrier que vous devez envoyer.

   Il me faut une boîte aux lettres.

3 Vous allez envoyer une lettre. Mettez les phrases suivantes dans l'ordre logique.

_____7_____ Je mets la lettre dans la boîte aux lettres.

_____6_____ J'affranchis la lettre.

_____8_____ Le facteur distribue le courrier.

_____5_____ J'achète des timbres.

_____4_____ Je vais à la poste.

_____1_____ J'écris une lettre.

_____9_____ La lettre arrive à la poste du destinataire.

_____2_____ Je mets la lettre dans l'enveloppe.

_____3_____ J'écris l'adresse sur l'enveloppe.

4 Répondez aux questions d'après le dialogue des **Rencontres culturelles** de la **Leçon C**.

1. De quoi est-ce que Justin a besoin pour envoyer ses livres?

   Il a besoin d'une assez grande boîte cartonnée.

2. Que veut-il envoyer dans une enveloppe?

   Il veut envoyer deux catalogues de la librairie.

3. Où vont Justin et Léo pour préparer le courrier?

   Ils vont chez Léo.

4. Comment est-ce qu'on va affranchir les paquets?

   On va se servir d'un appareil qui fait l'affranchissement.

5. Il faudra revenir à la poste avant quelle heure?

   Il faudra revenir à la poste avant 18h00.

5 Répondez aux questions suivantes. Référez-vous aux **Points de départ** de la **Leçon C**.

1. Les lettres PTT représentent quelle institution française?

   Les lettres PTT représentent poste, télégraphe, et télécommunications.

2. La Poste s'occupe bien sûr d'envoyer et de distribuer le courrier. Quel autre service est-ce que la Poste française offre à ses clients?

   Elle leur offre des services bancaires.

3. Montrez l'importance aujourd'hui de la poste comme service public.

   Answers will vary.

4. Quelles sont les responsabilités du facteur?

   Le facteur distribue le courrier, apporte les mandats, les colis, et l'argent à domicile.

5. Comment le Minitel était le précurseur de l'Internet?

   Le Minitel permettait aux français d'accéder à un annuaire électronique et à d'autres

   services similaires à Internet. On pouvait ainsi acheter un bouquet de fleurs, faire des

   réservations, voir les bulletins météo, et ainsi de suite.

6 Complétez avec **ce, cette, cet**, ou **ces**.

1. Tu as lu _____ce_____ livre? Il est excellent!

2. Tu connais _____cette_____ nouvelle? Elle est vraiment charmante!

3. Tu aimes _____ces_____ poèmes?

4. Qui a écrit _____cette_____ autobiographie intéressante?

5. Qui publie _____ces_____ romans de science-fiction?

6. Comment s'appelle l'auteur de _____ce_____ nouveau manga?

7. Qui t'a parlé de _____cette_____ excellente biographie?

8. On parle beaucoup de _____cet_____ auteur. Tu l'as lu?

7 Complétez avec **ce, cette, cet**, ou **ces**.

1. C'est _____ce_____ facteur qui distribue le courrier dans notre quartier.

2. Tu veux envoyer _____cette_____ lettre?

3. Tu veux acheter _____cet_____ aérogramme? Il n'est pas cher.

4. Tu as mis l'adresse sur_____cette_____ grande enveloppe?

5. C'est toi qui va affranchir tout_____ce_____courrier?

6. Tu peux écrire _____cette_____ longue adresse sur l'enveloppe?

7. Vous pouvez demander à _____ce_____ postier de peser le colis.

8. Est-ce que c'est _____cette_____ boîte cartonnée que tu veux?

9. Tu as répondu à toutes _____ces_____ lettres?

10. _____Cette_____ factrice est ma tante.

8 Complétez la réponse à la question avec **celui**, **celle**, **ceux** ou **celles**.

MODÈLE: Quels timbres, aimes-tu?
J'aime **ceux**-ci.

1. Quelles enveloppes achetez-vous?

J'achète _____ celles _____-ci.

2. Quelle boîte, préfères-tu?

Je préfère _____ celle _____-là.

3. Quels colis voulez-vous peser?

Je voudrais peser _____ ceux _____-là.

4. Quel aérogramme envoies-tu?

J'envoie _____ celui _____-ci.

5. Tu vas téléphoner à quelle poste?

Je vais téléphoner à _____ celle _____-là.

6. Tu mets quelle adresse?

Je mets _____ celle _____- ci.

7. Vous payez quels affranchissements?

Je paie _____ ceux _____- ci.

9 Continuez la question en offrant un choix. Employez des **pronoms démonstratifs**.

> **Modèle:** Tu préfères quel livre? **Celui-ci ou celui-là?**

1. Tu préfères quelle écharpe? _____ Celle-ci ou celle-là? _____

2. Tu préfères quel pull? _____ Celui-ci ou celui-là? _____

3. Tu préfères quels gants? _____ Ceux-ci ou ceux-là? _____

4. Tu préfères quel smartphone? _____ Celui-ci ou celui-là? _____

5. Tu préfères quelles paires de chaussettes? _____ Celles-ci ou celles-là? _____

6. Tu préfères quelle ceinture? _____ Celle-ci ou celle-là? _____

7. Tu préfères quel blouson? _____ Celui-ci ou celui-là? _____

10 Complétez avec un **pronom démonstratif** suivi par **qui** ou **que**.

> **Modèle:** Les cartes postales? **Celles que** je veux sont très jolies.

1. Les timbres? _____ Ceux que _____ je collectionne sont très rares.

2. La factrice? _____ Celle qui _____ passe chez nous apportera le paquet.

3. Le colis? _____ Celui que _____ tu attends est arrivé ce matin.

4. L'adresse? _____ Celle que _____ vous voulez se trouve dans ton carnet.

5. Les boîtes cartonnées? _____ Celles que _____ tu as achetées sont trop petites.

6. La lettre? _____ Celle qui _____ est arrivée est très importante.

11 Posez une question d'après le modèle. Employez des **pronoms démonstratifs**.

> **MODÈLE:** Karim travaille pour une société d'import-export.
> **Pour celle-ci ou pour celle-là?**

1. Il part avec une amie.

   Avec celle-ci ou avec celle-là? _____

2. Elle travaille sur un projet important.

   Sur celui-ci ou sur celui-là? _____

3. Elle va souvent chez des commerçants spécialisés.

   Chez ceux-ci ou chez ceux-là? _____

4. Elle passe ses vacances dans une station balnéaire.

   Dans celle-ci ou dans celle-là? _____

5. Il parle d'un chanteur qu'il adore.

   De celui-ci ou de celui-là? _____

6. Elle cherche une adresse.

   Celle-ci ou celle-là? _____

12 Remplissez les formulaires suivants selon la situation.

1. Vous êtes en France et voudriez envoyer de l'argent à votre meilleur(e) ami(e) qui passe un été difficile. Allez à la poste et remplissez le mandat postal ci-dessous.

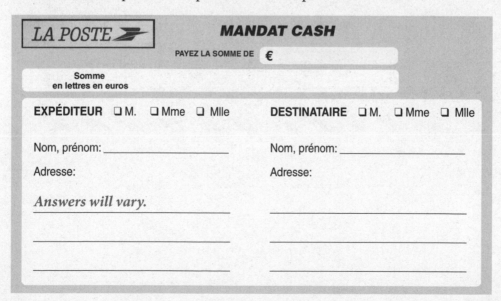

Continued on next page

2. Il y a eu une tempête dans le sud de la France et vous n'arrivez pas à joindre votre famille pour les rassurer que vous n'avez aucun mal, car les moyens de communication sont temporairement en suspens. Envoyez-leur un aérogramme.

Answers will vary.

RÉPUBLIQUE FRANÇAISE

RÉPUBLIQUE FRANÇAISE

1.15
POSTES

AÉROGRAMME

M _____

_____

_____

_____

PAR AVION

Unité 7

Leçon A

1 Faites correspondre les mots et expressions associés avec l'art et leur définition.

A. le musée des beaux-arts
B. les mouvements d'art
C. un pinceau
D. les coquelicots

E. les tableaux
F. une toile
G. une nature morte

H. en plein air
I. un atelier
J. une fête champêtre

_____ B _____ 1. Le rococo, le néo-classicisme, le romantisme, le réalisme, et l'impressionnisme en sont des exemples.

_____ C _____ 2. Une petite brosse utilisée par un artiste pour peindre.

_____ F _____ 3. C'est l'objet sur lequel un peintre applique les couleurs.

_____ A _____ 4. On y va pour regarder les grandes collections d'art et des expositions de Chefs-d'œuvre.

_____ I _____ 5. C'est la pièce où travaille un artiste.

_____ E _____ 6. Ce sont des peintures et les dessins qu'on accroche sur les murs et dans les musées.

_____ J _____ 7. C'est une célébration qui a lieu dans la campagne.

_____ H _____ 8. C'est à l'extérieur dans la nature.

_____ G _____ 9. C'est une représentation d'un objet non-vivant comme des fleurs ou un bol de fruits.

_____ D _____ 10. Ce sont des petites fleurs rouges qu'on voit dans les champs. On les trouve dans un tableau célèbre de Monet.

2 Complétez avec un mot ou expression de vocabulaire de la liste.

plein air	musée des beaux-arts	arrière-plan	vives
champêtres	paysage	natures mortes	atelier

Cette exposition sur l'impressionnisme au (1) __musée des beaux arts__ m'a beaucoup plue.

J'ai aimé les couleurs (2) __vives__ des tableaux. Beaucoup de tableaux

représentent des scènes en (3) __plein air__, à la campagne, ou au bord de l'eau.

Ils illustrent des scènes (4) __champêtres__ comme les fêtes de village, ou les déjeuners

sur l'herbe. Avec les bouquets de fleurs et les plats de fruits, les impressionnistes continuent la

tradition des (5) __natures mortes__. En sortant de l'

(6) __atelier__, et en travaillant en plein air, les peintres ont choisi de peindre les

(7) __paysages__ par exemple, des scènes au bord de la mer, scènes de campagne

sous la neige, champs de fleurs de coquelicots. Dans sa peinture célèbre, *les Coquelicots*, Monet

a placé une mère et une fille au premier plan, et le ciel et le paysage à l'(8) __arrière-plan__.

Nom: _____ Date: _____

3 Faites correspondre le mouvement d'art avec sa description.

A. le romantisme
B. le néo-classicisme
C. le réalisme
D. le rococo
E. l'impressionnisme
F. l'expressionnisme
G. le néo-impressionnisme

_____C_____ 1. Ce mouvement d'art a eu lieu au XIXème siècle. L'artiste représentait des scènes de la vie courante, c'est-à-dire la vie ordinaire.

_____A_____ 2. L'artiste choisissait des sujets exotiques. Il exprimait l'idéal. Ce mouvement d'art a eu lieu au XVIIIème et au XIXème siècles.

_____E_____ 3. Pendant le XIXème siècle des artistes comme Monet, Degas, et Renoir ont quitté leurs ateliers pour peindre en plein air. Ils ont peint avec une touche rapide et leurs peintures étaient une étude d'effets de lignes et de lumière.

_____G_____ 4. Pendant ce mouvement d'art, l'artiste développait une technique qui employait des petits touches de peinture, et opposait les couleurs primaires et les couleurs complémentaires. C'est l'œil qui mélangeait ces petites touches de couleur.

_____B_____ 5. L'artiste choisissait des sujets inspirés par la Rome antique. Souvent l'artiste représentait une scène de la mythologie.

_____D_____ 6. Les aristocrates étaient souvent le sujet pendant ce mouvement artistique qui a suivi le mouvement baroque pendant la seconde moitié du XVIIIe siècle.

_____F_____ 7. Les artistes qui faisaient partie de ce mouvement d'art montraient une vision émotionnelle et subjective du monde.

Continued on next page

4 Répondez aux questions d'après le dialogue des **Rencontres culturelles** de la **Leçon A**.

Claude Monet

1. Quel est le nom de la peinture de Monet qui a donné son nom à un nouveau mouvement artistique?

   Impression, soleil levant **a donné son nom au nouveau mouvement en art, l'impressionnisme.**

2. Nommez quelques autres peintures célèbres de Monet.

   Quelques autres peintures célèbres de Monet sont *les Coquelicots* **et ses célèbres**

   Nymphéas de Giverny.

3. Où est-ce que Monet peignait souvent?

   Monet peignait souvent en plein air sur un bateau qu'il avait transformé en atelier.

4. Décrivez la technique que Monet employait pour peindre les personnages dans sa peinture, *les Coquelicots*.

   Les personnages avaient peu de détails et leur expression ne se voyait pas.

Pierre Auguste Renoir

5. Décrivez la technique de Renoir.

   Il recherchait une expression plus réaliste par des effets de lignes, des contours, et des contrastes.

6. Quel effet est-ce que cet artiste recherche dans sa peinture célèbre, *le Déjeuner des canotiers*?

   Il recherchait une atmosphère d'éclatement, de spontanéité, et de fête.

7. Quelles personnes que Renoir connaissait personnellement sont dans la peinture?

   On voit sa fiancée, Aline Charigot, au premier plan à gauche; puis à droite son ami

   Gustave Caillebotte dans la peinture.

8. Typiquement, comment est-ce que Renoir représentait les femmes dans ses tableaux?

   Elles avaient le visage rond, la peau blanche, les joues rougeâtres, et la forme ronde.

Continued on next page

Georges Seurat

9. Où et quand a lieu la scène de la peinture de Seurat, *un Dimanche après-midi sur l'île de la Grande Jatte*?

   La scène a lieu en plein air au bord de la Seine pendant une belle journée d'été.

10. On voit les personnes de quelle classe sociale dans cette peinture, et qu'est-ce qu'elles sont en train de faire?

    On voit les personnes de la bourgeoisie qui se livrent à leurs loisirs, … promenade, voile, pêche.

11. Décrivez la technique, «le pointillisme.»

    L'artiste pose de petites touches séparées de couleurs pures qui se confondent à une

    certaine distance.

12. Comment est-ce que Seurat a développé cette technique?

    C'est le résultat de recherches scientifiques sur les couleurs et les théories de la vision.

13. Seurat a influencé quels autres grands artistes?

    Seurat a influencé Gauguin, Van Gogh, et Pissarro, mais aussi sur les fauves, les cubistes,

    et les futuristes.

Vincent Van Gogh

14. Van Gogh était de quelle nationalité?

    Il était néerlandais.

15. Où est-ce qu'il a passé les dernières années de sa vie?

    Il a passé les dernières années de sa vie dans le sud de la France.

16. Dans sa peinture, *Terrasse du café le soir*, quel genre de couleurs utilise-t-il au premier plan, et pourquoi est-ce qu'il les utilise?

    Van Gogh utilise des couleurs chaudes au premier plan, pour donner de la profondeur à

    la perspective.

17. Qu'est-ce qui est le centre d'attention à l'arrière-plan du tableau?

    Le ciel étoilé d'un bleu vif qui remplace le noir de la nuit est le centre d'attention de

    cette peinture.

Continued on next page

18. Qu'est-ce que Van Gogh aimait surtout peindre sur place?

   Van Gogh aimait surtout peindre la nuit sur place.

19. Van Gogh est le précurseur de quel mouvement d'art?

   Van Gogh est le précurseur de l'expressionisme.

5 Répondez aux questions suivantes. Référez-vous aux **Points de départ** de la **Leçon A**.

   L'impressionnisme

1. Décrivez la technique des impressionnistes.

   Les peintres exprimaient dans leurs tableaux les impressions que les objets et la

   lumière suscitent.

2. Où est-ce que les impressionnistes aimaient peindre?

   Les impressionnistes aimaient peindre en plein air, pas dans un atelier.

3. Nommez des impressionnistes célèbres.

   Claude Monet, Pierre-Auguste Renoir, Mary Cassatt, Camille Pissarro, Berthe Morisot,

   Edgar Degas, Alfred Sisley, et Frédéric Bazille.

   Le néo-impressionnisme

4. Comment était la technique des néo-impressionnistes?

   Les peintres néo-impressionnistes peignaient par petite touches, et par points de ton

   pur juxtaposés.

5. Le mouvement artistique, le néo-impressionnisme, était connu sous quels autres noms?

   Il était aussi connu comme le pointillisme ou le post-impressionnisme.

6. Qui étaient les plus grands artistes de ce mouvement?

   Les plus grands pointillistes étaient Georges Seurat et Paul Signac.

   L'expressionisme/Le fauvisme

7. Les artistes qui développaient le mouvement de l'expressionisme étaient de quelle nationalité?

   Ils étaient allemands.

Continued on next page

8. Décrivez la technique des expressionnistes.

   Les expressionnistes utilisent une intensité de l'expression et souvent des couleurs vives.

9. Quel artiste était le précurseur de ce mouvement?

   Le précurseur de ce mouvement était Vincent Van Gogh.

10. Quel artiste et créateur du tableau, *Vase à bonne sur la table,* a aussi fait des contributions importantes à ce mouvement?

    Henri Matisse.

11. Nommez deux fauvistes dont la technique touche par moments à l'expressionisme.

    Maurice de Vlaminck et André Derain.

    La francophonie: L'art. L'Afrique de l'ouest

12. De quoi est-ce que l'art africain traditionnel est composé?

    L'art africain traditionnel est essentiellement composé de produits artisanaux.

13. Quels sont des objets d'art qui sont typiques de l'Afrique?

    Des objets d'art qui sont typiques de l'Afrique sont des masques, statues, armes, ou

    d'autres objets traditionnels comme des poteries et des vêtements.

14. Décrivez l'art traditionnel africain.

    La peinture africaine a toujours été décorative avec des formes géométriques simples

    et des couleurs primaires.

15. Comment est l'art populaire africain?

    L'art populaire donne de nouvelles formes aux matériaux naturels (fresques, portraits, posters).

    La peinture africaine contemporaine reflète l'évolution et les contradictions des réalités urbaines.

16. La peinture africaine est à l'origine de quels grands mouvements occidentaux?

    Des grands mouvements occidentaux tels le cubisme (Pablo Picasso), le néo-impressionnisme,

    et la peinture murale.

17. Qui est Chéri Samba?

    Chéri Samba est un peintre congolais dont l'art figuratif a été exposé à Paris et à New York.

6 Faites l'accord de l'adjectif entre parenthèses.

  Modèle: une **vieille** peinture (vieux)

1. un _____ bel _____ objet (beau)

2. une _____ bonne _____ peinture (bon)

3. une peinture _____ moderne _____ (moderne)

4. une _____ nouvelle _____ toile (nouveau)

5. sa _____ première _____ œuvre d'art (premier)

6. une _____ jeune _____ artiste (jeune)

7. sa _____ dernière _____ exposition (dernier)

8. une fille _____ paresseuse _____ (paresseux)

9. des _____ vieilles _____ femmes (vieux)

10. une _____ belle _____ église (beau)

11. une artiste _____ super _____ (super)

12. un _____ nouvel _____ objet d'art (nouveau)

13. une _____ longue _____ histoire (long)

14. une toile _____ blanche _____ (blanc)

15. une peinture _____ bon marché _____ (bon marché)

7 Complétez avec le **féminin pluriel** de l'adjectif entre parenthèses.

   MODÈLE: Elle aime les **vieilles** (vieux) villes.

Elle aime aussi les (1) _____ **belles** _____ (beaux) maisons, les (2)

_____ **grandes** _____ (grand) pièces, les peintures (3) _____ **curieuses** _____ (curieux),

les sculptures (4) _____ **modernes** _____ (moderne), les

(5) _____ **longues** _____ (long) robes, et les sandales (6) _____ **blanches** _____ (blanc),

et ses amies (7) _____ **super** _____ (super). Il aime les (8) _____ **bonnes** _____ (bon)

choses, les (9) _____ **vieilles** _____ (vieux) voitures, les expériences

(10) _____ **merveilleuses** _____ (merveilleux), les (11) _____ **nouvelles** _____ (nouveau)

technologies, et les chaussures (12) _____ **marron** _____ (marron).

8 Mettez les adjectifs suivants à la forme correcte et dans la bonne position.

   MODÈLE: Il vaut mieux utiliser *des pinceaux* pour les petites lignes. (fin)
              Il vaut mieux utiliser des pinceaux fins pour les petites lignes.

1. Ce cours d'art vous enseignera *les techniques* de la peinture. (ancien)

   Ce cours d'art vous enseignera les anciennes techniques de la peinture.

2. Je regrette, il faut *des coups de pinceau* pour faire des tâches. (épais)

   Je regrette, il faut des coups de pinceau épais pour faire des tâches.

3. Savez-vous où se trouvent *les toiles*? (blanc)

   Savez-vous où se trouvent les toiles blanches?

4. Les élèves font *des progrès* tous les jours. (vrai)

   Les élèves font de vrais progrès tous les jours.

5. Vous allez faire un essai pour recopier ce tableau. (deuxième)

   Vous allez faire un deuxième essai pour recopier ce tableau.

9 Formez des phrases avec deux adjectifs.

> **MODÈLE:** une sculpture/nouveau/américain
> **C'est une nouvelle sculpture américaine.**

1. un village/joli/ancien

   C'est un joli village ancien. _____

2. une maison/vieux/sombre

   C'est une vieille maison sombre. _____

3. un paysage/beau/champêtre

   C'est un beau paysage champêtre. _____

4. une toile/grand/ancien

   C'est une grande toile ancienne. _____

5. un objet /beau/moderne

   C'est un bel objet moderne. _____

6. une peinture/bon/contemporain

   C'est une bonne peinture contemporaine. _____

7. un musée/petit/charmant

   C'est un petit musée charmant. _____

8. une histoire/long/intéressant

   C'est une longue histoire intéressante. _____

10 Comparez avec (+) **plus ...que**, (-) **moins...que**, ou (=) **aussi ....que**.

MODÈLE: (+) cette exposition/ intéressant/la précédente
Cette exposition est plus intéressante que la précédente.

1. (-) ce tableau/beau/l'autre

   Ce tableau est moins beau que l'autre.

2. (=) cette peinture/bon/celle-là

   Cette peinture est aussi bonne que celle-là.

3. (+) cette sculpture/bon/celle-ci

   Cette sculpture est meilleure que celle-ci.

4. (+) cette artiste/célèbre/son compagnon

   Cette artiste est plus célèbre que son compagnon.

5. (-) ce musée/moderne/celui-là

   Ce musée est moins moderne que celui-là.

6. (=) cette sculpture/grand/l'autre

   Cette sculpture est aussi grande que l'autre.

7. (-) cet objet d'art/vieux/celui-là

   Cet objet d'art est moins vieux que celui-là.

8. (+) cette scène/impressionnant/l'autre

   Cette scène est plus impressionnante que l'autre.

Nom: _____ Date: _____

11 Récrivez chaque phrase en employant **le superlatif**. Suivez le modèle.

      Modèle: Le Louvre est plus fréquenté que les autres musées.
                 C'est le musée le plus fréquenté.

1. Ce tableau est plus impressionnant que tous les autres.

   C'est le tableau le plus impressionnant.

2. Cette sculpture est plus grande que les autres.

   C'est la plus grande sculpture.

3. Ces objets d'art sont plus précieux que les autres.

   Ce sont les objets d'arts les plus précieux.

4. Cette toile est plus colorée que les autres.

   C'est la toile la plus colorée.

5. Cette peinture est plus chère que les autres.

   C'est la peinture la plus chère.

6. Cet artiste est plus célèbre que les autres.

   C'est l'artiste le plus célèbre.

7. Ces expositions sont meilleures que les autres.

   Ce sont les meilleures expositions.

8. Le pointillisme utilise une technique plus précise que les autres mouvements.

   Le pointillisme utilise la technique la plus précise.

9. Ce tableau est vraiment plus laid que tous ceux de son genre.

   Ce tableau est vraiment le plus laid.

10. Les femmes de Renoir sont plus réalistes que chez les autres impressionistes.

   Les femmes de Renoir sont les plus réalistes.

12 Récrivez chaque phrase en employant **le superlatif**. Suivez le modèle.

> MODÈLE: Ouest France est plus lu que les autres journaux.
> **Ouest France est le journal le plus lu.**

1. Chez les Français, il n'y a pas de fête plus importante que Noël.

   Chez les Français, Noël est la fête la plus importante.

2. Le Président de la République et le Premier Ministre sont plus connus que les autres hommes ou femmes politiques.

   Le Président de la République et le Premier Ministre sont les hommes politiques les plus

   connus.

3. L'élection du Président de la République est plus importante que les autres élections.

   L'élection du Président de la République est l'élection la plus importante.

4. Le football est plus pratiqué que les autres sports.

   Le football est le sport le plus pratiqué.

5. Le cinéma est plus fréquenté que les autres spectacles.

   Le cinéma est le spectacle le plus fréquenté.

6. TF1 est la chaîne de télévision qui est plus regardée que les autres chaînes de télévision.

   TF1 est la chaîne de télévision la plus regardée.

7. Paris est plus peuplée que les autres villes.

   Paris est la ville la plus peuplée.

Leçon B

1 Identifiez le genre de musique. Choisissez la réponse dans la liste.

une chanson engagée	la salsa	un album concept	la pop
une chanson réaliste	le swing	une chanson poétique	le jazz

1. Les paroles sont dramatiques. La chanson raconte une histoire vraie.

   <u>une chanson réaliste</u>

2. La chanson parle d'un problème de société. <u>une chanson engagée</u>

3. Le rock and roll, le blues, et la musique country en sont des exemples. <u>la pop</u>

4. C'est une compilation de chansons avec un thème. <u>un album concept</u>

5. La chanson a des paroles lyriques. <u>une chanson poétique</u>

6. C'est de la musique d'influence africaine et de langue hispanique. On peut dire aussi la

   musique latino-américaine. <u>la salsa</u>

7. C'est de la musique associée avec les grands orchestres des années 1930.

   <u>le swing</u>

8. Ce genre de musique est né au sud des États-Unis au début du 20ème siècle et montre une

   influence des communautés noires et créoles. Le saxophone est un instrument souvent

   associé à ce genre de musique. <u>le jazz</u>

2 Complétez avec un mot ou expression de la liste.

albums concepts	séduit	chansons	goût	compositeur
paroles	interprète	scène	mélodie	tournée

1. Est-ce que tu aimes chanter? Non, mais j'aime bien écouter des

   _____**chansons**_____ sur mon lecteur MP3.

2. Cette chanson a un joli petit air, n'est-ce pas? Oui, j'aime beaucoup sa _____**mélodie**_____.

3. J'aimerais bien avoir les mots pour chanter cette chanson. Alors, cherchons les

   _____**paroles**_____ sur Internet.

4. Que je suis heureuse! Mon chanteur préféré part en _____**tournée**_____. Il va d'abord à
   Paris, puis à Madrid, et à Québec. Ensuite, Il arrive dans notre ville. J'ai déjà acheté les billets!

5. Quand un chanteur chante devant le public, d'habitude il est sur _____**scène**_____.

6. Je préfère acheter une collection de chansons avec un thème. J'achète souvent des

   _____**albums concepts**_____.

7. Quel genre de musique aimes-tu? Moi, j'ai beaucoup le _____**goût**_____ pour la
   musique pop.

8. Une personne qui écrit de la musique est un _____**compositeur**_____.

9. Vanessa Paradis chante des chansons écrites par Serge Gainsbourg. Elle est

   _____**interprète**_____.

10. Il y a des personnes de tous les âges qui aiment Jacques Brel. Il _____**séduit**_____ les
    générations avec sa puissance lyrique du texte et une interprétation très dramatique de ses
    mélodies.

3 Dites pour quel genre de musique les personnes suivantes ont du goût. Choisissez de la liste.

> MODÈLE: Ils aiment le Beatles et en général la musique des années 1960.
> **Ils ont le goût pour la pop.**

la pop   le jazz   la chanson engagée   la salsa   le swing

1. Mon grand-père adore la musique des grands orchestres des années 1930.

   Il a le goût pour le swing.

2. Moi, j'adore danser sur la musique de la communauté hispanique.

   J'ai le goût pour la salsa.

3. Ma sœur s'intéresse beaucoup à la politique et aime lutter pour une cause.

   Elle a le goût pour la chanson engagée.

4. Il s'intéresse à la musique popularisée à la Nouvelle Orléans et jouée dans les boîtes de Paris au début du 20ème siècle. Il aime bien Louis Armstrong et Duke Ellington.

   Il a le goût pour le jazz.

5. Ma mère adore Jacques Brel et Céline Dion.

   Elle a le goût pour la pop.

4 Répondez aux questions suivantes par des phrases complètes.

1. Tu adores les paroles de quelle chanson?

   Answers will vary.

2. Pour toi, c'est le goût pour quel genre de musique qui est populaire en France?

   _____

3. Donne un exemple d'une chanson engagée.

   _____

4. As-tu vu un chanteur, une chanteuse, ou un groupe musical en tournée? Lesquels?

   _____

5. Quelle est une chanson dont tu adores la mélodie?

   _____

5 Répondez aux questions d'après le dialogue des **Rencontres culturelles** de la **Leçon B**.

A. Jacques Brel   C. Boris Vian   E. Barbara
B. Charles Aznavour   D. Serge Gainsbourg

_____E_____ 1. Pianiste chantante, elle a passé beaucoup de temps à chanter dans les cabarets de la rive gauche de Paris.

_____B_____ 2. Edith Piaf, Frank Sinatra, Liza Minnelli, et Dianne Reeves ont interprété des chansons dont il est l'auteur-compositeur.

_____A_____ 3. Un auteur-compositeur-interprète d'origine belge, son goût pour la musique populaire des mélodies, et une interprétation dramatique lui ont valu un immense succès.

_____C_____ 4. Il adorait surtout le jazz, et ses chansons d'après-guerre passaient de la caricature à la chanson engagée.

_____D_____ 5. Il composait beaucoup de genres de musique, de la chanson réaliste à la chanson poétique, à la musique pop, à la chanson engagée qui provoquait la politique. Un nombre de ses chansons ont été interprétées par Vanessa Paradis, Brigitte Bardot, Isabelle Adjani, et Catherine Deneuve, parmi autres.

_____A_____ 6. Aimé pour sa critique sociale et ses chansons populaires, l'une de ses chansons les plus intimistes s'appelle « Le Moribond. »

_____D_____ 7. Il a essayé tous les genres de musique, et poussé le provocatisme jusqu'à récrire l'hymne national français sous un air de reggae.

_____B_____ 8. Cet auteur-compositeur a connu beaucoup de succès dans ses chansons et sa musique, mais aussi comme homme de scène.

_____E_____ 9. Cette star de la chanson française avait un rapport très intime avec le public, dans ses chansons intimistes comme sur scène.

6 Répondez aux questions suivantes. Référez-vous aux **Points de départ** de la **Leçon B**.

La chanson française

1. Qu'est-ce qui caractérise la chanson française?

   Le chanteur fait tout. Il écrit les paroles (auteur), il compose la musique (compositeur),

   et il chante ses propres textes et ses propres musiques (interprète).

2. Quelle est une chanson d'Edith Piaf qui était très connue hors de la France?

   Sa chanson, *La vie en Rose.*

La Francophonie: La musique contemporaine

3. Comment la jeune génération a-t-elle prolongé l'héritage de la chanson française?

   Les artistes continuent la tradition d'auteur-compositeur-interprète.

4. Qui sont des auteurs-compositeurs-interprètes de la chanson française qui sont connus aujourd'hui sur la scène internationale de la musique?

   Vanessa Paradis (jazz pop), Raphaël (pop), Calogéro (pop rock), Youssoupha (rap),

   et Melissa (R'n'B).

Au Québec

5. C'est quoi, *Vent du Nord*?

   Vent du nord est un groupe folklorique québécois fondé en 2003.

6. Décrivez leur musique.

   Certaines de leurs chansons évoquent l'influence celtique de l'Irlande et la Bretagne.

7 Répondez à la question en utilisant le verbe **plaire**.

> **Modèle 1:** Les vacances à la mer te plaisent? (oui)
> **Oui, les vacances à la mer me plaisent.**

> **Modèle 2:** Les vacances à la mer te plaisent? (non)
> **Non, les vacances à la mer ne me plaisent pas**

1. Le skate te plaît? (oui)

   Oui, le skate me plaît. _____

2. Le cours de physique te plaît? (non)

   Non, le cours de physique ne me plaît pas. _____

3. Les paysages de montagne te plaisent? (oui)

   Oui, les paysages de montagne me plaisent. _____

4. L'histoire te plaît? (non)

   Non, l'histoire ne me plaît pas. _____

5. Les peintures modernes te plaisent. (oui)

   Oui, les peintures modernes me plaisent. _____

6. Les chansons réalistes te plaisent? (non)

   Non, les chansons réalistes ne me plaisent pas. _____

7. Les plats de grenouilles te plaisent? (non)

   Non les plats de grenouilles ne me plaisent pas. _____

8 Répondez à la question en utilisant le verbe **plaire**.

> MODÈLE: Est-ce que le hip-hop plaît à ta sœur?
> **Oui, le hip-hop lui plaît.**

1. Est-ce que les concerts de musique classique te plaisent?

   Oui, les concerts de musique me plaisent.

2. Est-ce que le reggae te plaît?

   Oui, le reggae me plaît.

3. Est-ce que la musique folklorique vous plaît?

   Oui, la musique folklorique nous (me) plaît.

4. Est-ce que le swing plaît à ta mère?

   Oui, le swing lui plaît.

5. Est-ce que la pop plaît à tes amis?

   Oui, la pop leur plaît.

6. Est-ce que les chansons engagées te plaisent?

   Oui, les chansons engagées me plaisent.

7. Est-ce que la salsa plaît à Nicole et Élodie?

   Oui, la salsa leur plaît.

8. Quels musiciens te plaisent le plus?

   Answers will vary.

9. Jacques Brel te plaît-il?

   Answers will vary.

10. Est-ce que les groupes de musique français plaisent à tous les élèves de ta classe?

    Answers will vary.

9 Répondez à la question en utilisant le verbe, **plaire**.

> **MODÈLE:** Tu aimes le concert? (oui)
> **Oui, le concert me plaît.**

1. Tu aimes ces DVD de jazz? (oui)

   Oui, ces DVD de jazz me plaisent.

2. Vous aimez la chanson poétique? (non)

   Non, la chanson poétique ne nous (me) plaît pas.

3. Tes parents aiment les albums concepts de Gainsbourg. (oui)

   Oui, les albums concept de Gainsbourg leur plaisent.

4. Ton frère aime les concerts de musique pop? (non)

   Non, les concerts de musique pop ne lui plaisent pas.

5. Vous aimez la musique rock? (oui)

   Oui, la musique rock me plaît.

6. Tu aimes ce CD de salsa? (non)

   Non, ce CD de salsa ne me plaît pas.

7. Ton prof de dessin aime le mouvement impressionniste? (oui)

   Oui, le mouvement impressionniste lui plaît.

8. Les artistes modernes aiment-ils la musique des années anciennes? (oui)

   Oui, la musique des années anciennes leur plaît.

9. Est-ce que ton meilleur ami aime les groupes de musique classique? (non)

   Non, ils ne lui plaisent pas.

10. Est-e que les paroles provocatrices plaisent aux élèves de ta classe? (non)

    Non, elles ne leur plaisent pas.

Leçon C

1 Nicole parle de ce qu'elle a étudié dans ses cours de littérature. Complétez ses phrases avec un mot de vocabulaire de la liste.

morale	brouillard	dramaturge	poète	romancier	strophe	satire
aube	fable	caché	menti	sonnet	corbeau	recueil

Molière comme Shakespeare était un grand _____**dramaturge**_____ (1). Les pièces de

Molière étaient comiques, pourtant elles critiquaient la noblesse et la société. Il y avait beaucoup

de _____**satire**_____ (2) dans les œuvres de Molière.

Nous avons lu une _____**fable**_____ (3) de la Fontaine. Il y avait une histoire d'un

renard qui n'a pas été honnête avec un grand oiseau noir. Il a _____**menti**_____ (4)

au _____**corbeau**_____ (5). Comme d'habitude dans les fables, il y avait une leçon à

apprendre. La _____**morale**_____ (6) de cette histoire était de faire attention aux

personnes qui flattent!

Nous avons lu des poèmes du _____**poète**_____ (7), Ronsard. Un poème que nous

avons lu, *Cassandre*, avait deux quatrains et deux tercets. Ce poème était spécifiquement un

_____**sonnet**_____ (8). En fait, nous avons étudié juste un ensemble de vers du poème,

c'est-à-dire, une _____**strophe**_____ (9). Aussi, pour le cours de poésie, j'ai dû obtenir une

collection de poèmes par Jacques Prévert. J'ai acheté son _____**recueil**_____ (10)

de poèmes, *Paroles*.

Nous avons lu quelques bonnes histoires en classe. Nous avons lu un livre excellent, *les Trois*

Mousquetaires, par le (11) _____**romancier**_____, Alexandre Dumas. Dans ce livre, il

y avait des scènes qui ont eu lieu dans les endroits où il y avait peu de visibilité à cause du

_____**brouillard**_____ (12). Nous avons lu aussi un extrait du *Petit Prince*. Une rose qui est

devenue son amie est née au lever du jour. La fleur s'est montrée à l'_____**aube**_____

(13). Souvent dans la littérature le message de l'écrivain n'est pas évident, mais

(14) _____**caché**_____ dans les événements de l'histoire.

Nom: _____ Date: _____

2 Donnez un exemple de votre choix pour chaque catégorie.

1. un poète français _____ *Answers will vary.* _____

2. une femme poète américaine _____

3. une romancière américaine _____

4. un romancier français _____

5. un dramaturge français _____

6. un dramaturge anglais _____

6. une conte avec une morale _____

7. une œuvre littéraire qui est une satire _____

8. un écrivain dont l'œuvre est volumineuse _____

9. une œuvre littéraire qui prend position sur la politique _____

3 Trouvez le mot de vocabulaire qui manque pour terminer les phrases suivantes.

MODÈLE: L'auteur de Wuthering Heights était une **romancière** célèbre.

1. Ayant préféré le théâtre à la fin de sa vie, le poète est devenu __dramaturge__ .

2. Je n'ai pas du tout aimé ce ____récit____ imaginaire, je préfère les histoires vraies.

3. Les magiciens dans les contes africains sont des __sorciers__ .

4. Dans un poème, Ronsard, donne pour leçon de ___cueillir___ le jour, c'est-à-dire de profiter de la vie.

5. Oui, et ce poème qui est composé de deux quatrains et deux tercets est un ___sonnet___ .

4 Répondez aux questions d'après le dialogue des **Rencontres culturelles** de la **Leçon C**.

A. *Faites correspondre les informations avec l'auteur.*

    A. Ronsard   C. La Fontaine   E. Hugo
    B. Apollinaire   D. Prévert

_____**B**_____ 1. C'est un poète associé à l'invention du « surréalisme » en littérature.

_____**E**_____ 2. Il a écrit toutes sortes de littérature: roman, théâtre, pamphlet, satire, poésie. C'est le plus universel des écrivains français. La poésie est la partie la plus volumineuse de son œuvre.

_____**D**_____ 3. Quelques-uns de ses poèmes ont été mis en musique.

_____**A**_____ 4. Il est connu pour ses poèmes de tradition amoureuse et la forme poétique, le sonnet.

_____**C**_____ 5. Il est connu pour ses fables qui ont une morale.

B. *Répondez aux questions.*

1. Pour quelle forme spécifique de la poésie française, Ronsard est-il connu?

    Ronsard est connu pour le sonnet.

2. En quoi les *Fables de La Fontaine* sont-elles une œuvre politique?

    Ses fables sont une œuvre politique car elles prennent position sur la guerre ("Le Lion" ou "Le Renard anglais"), contre l'esprit de conquête ("Le Paysan du Danube"), et dénoncent avec ironie et humour la vie de la Cour avec ses flatteurs ("Les Animaux malades de la peste").

3. Qu'est-ce qui caractérise la poésie de Victor Hugo?

    La poésie de Victor Hugo rend compte du "spectacle du monde" avec ses merveilles et ses pièges, renvoie aux souvenirs de l'enfance, capte la simplicité du quotidien, et cherche enfin à percer le secret du visible, à trouver la lumière au-delà de l'ombre et des profondeurs.

4. Quel est le rapport de la poésie d'Apollinaire avec le monde moderne?

    Apollinaire a sorti le poète de la bibliothèque et a regardé le monde moderne qu'il avait sous les yeux: la publicité, les automobiles, les tramways, et l'électricité.

5. Comment s'explique le succès de Jacques Prévert?

    Le quotidien, son hymne permanent à la liberté de penser et de parler, et bien sûr son style: jeux de mots, lieux communs, stéréotypes, inventions burlesques, jeux sur les sons, humour, sont tous des éléments de la poésie de Prévert qui est un grand succès.

5 Répondez aux questions suivantes. Référez-vous aux **Points de départ** de la **Leçon C**.

La pléiade

1. Qu'est-ce que c'est que *La Pléiade*?

   La Pléiade était un groupe de sept poètes au XVIème siècle.

2. Quel était son but et comment est-ce que les poètes associés au mouvement l'ont accompli?

   Le but de la Pléiade était de commencer un renouvellement de la littérature française.

3. Quelle expression est associée à ce mouvement poétique?

   Elle était connue pour l'expression, *carpe diem*.

Le romantisme de Victor Hugo

4. Victor Hugo était le chef de quel mouvement en littérature et qu'est qui caractérise ce mouvement?

   Victor Hugo était le chef du mouvement du romantisme. Les romantiques voulaient

   rompre avec les strictes règles du classicisme et se concentrer sur les sentiments.

Le surréalisme

5. Quand est-ce que le surréalisme est né et qu'est-ce qui caractérise le mouvement?

   Le surréalisme est né après la Première Guerre mondiale. Le but des surréalistes était de

   refuser toutes les constructions logiques de l'esprit, et de valoriser l'irrationnel, l'absurde,

   le rêve, le désir, et la révolte.

6. Qu'est-ce que c'est qu'un calligramme?

   C'est un poème écrit en forme de dessin.

La Francophonie: La poésie

7. Quel est souvent le sujet des poèmes haïtiens?

   L'histoire d'Haïti est souvent le sujet de poèmes.

8. Les poèmes haïtiens sont écrits en quelles langues?

   Les poèmes haïtiens sont écrits en français et en créole.

6 Formez une phrase logique avec **pour + l'infinitif** et une expression de la liste.

MODÈLE: je/travailler
Je travaille pour gagner de l'argent.

nager	trouver un cadeau	gagner de l'argent
pratiquer le français	goûter la cuisine française	se maintenir en forme
écouter de la musique	voir le nouveau film	

1. nous/aller au concert

   Nous allons au concert pour écouter de la musique.

2. je/aller au cinéma

   Je vais au cinéma pour voir le nouveau film.

3. elle/faire du shopping

   Elle fait du shopping pour trouver un cadeau.

4. ils/faire du sport

   Ils font du sport pour se maintenir en forme.

5. vous/aller à la piscine

   Vous allez à la piscine pour nager.

6. tu/ étudier au Sénégal

   Tu étudies au Sénégal pour pratiquer le français.

7. ils/dîner au restaurant

   Ils dînent au restaurant pour goûter la cuisine française.

7 Formez une phrase avec le verbe au **subjonctif**.

> **MODÈLE:** il faut que tu/faire du théâtre
> **Il faut que tu fasses du théâtre.**

1. j'exige que vous/rendre les devoirs à l'heure

   J'exige que vous rendiez les devoirs à l'heure.

2. il est bon que nous/se rencontrer plus souvent

   Il est bon que nous nous rencontrions plus souvent.

3. il faut que tu/ voir *Art*, la pièce de Yasmina Réza

   Il faut que tu voies *Art*, la pièce de Yasmina Réza.

4. il est bon qu'elle/faire des recherches sur Internet

   Il est bon qu'elle fasse des recherches sur Internet.

5. j'exige que vous/ lire la poésie du XXème siècle

   J'exige que vous lisiez la poésie du XXème siècle.

6. croyez-vous qu'ils /être plus intéressés par la poésie que par le roman

   Croyez-vous qu'ils soient plus intéressés par la poésie que par le roman?

7. ça me surprend que vous /ne pas prendre ce livre au sérieux

   Ça me surprend que vous ne preniez pas ce livre au sérieux.

8. il est important qu'on/reconnaître les genres littéraires.

   Il est important qu'on reconnaisse les genres littéraires.

8 Formez une phrase avec **pour que** et le verbe au **subjonctif**.

> MODÈLE: Je lui ai téléphoné/il/venir
> **Je lui ai téléphoné pour qu'il vienne.**

1. J'ai acheté ce DVD /nous/le regarder

   J'ai acheté ce DVD pour que nous le regardions. _____

2. Je lui ai envoyé le lien/il/faire la connexion

   Je lui ai envoyé le lien pour qu'il fasse la connexion. _____

3. Je t'ai donné la référence/tu/la mettre en ligne

   Je t'ai donné la référence pour que tu la mettes en ligne. _____

4. Nous l'avons appelé /il/ nous rendre un service

   Nous l'avons appelé pour qu'il nous rende un service. _____

5. Il vous a invités/vous/connaître sa région

   Il vous a invités pour que vous connaissiez sa région. _____

6. Je lui ai prêté ce livre/elle/ le lire

   Je lui ai prêté ce livre pour qu'elle le lise. _____

7. Je lui ai rappelé la date du concert/il /prendre des billets

   Je lui ai rappelé la date du concert pour qu'il prenne des billets. ____

8. On t'a conseillé/tu/suivre nos conseils

   On t'a conseillé pour que tu suives nos conseils. _____

9. Bertrand nous a envoyé un CD/nous/le donner à sa petite amie

   Bertrand nous a envoyé un CD pour que nous le donnions à sa petite amie. ____

9 Formez une seule phrase en utilisant **pour que** et un verbe au **subjonctif**.

> MODÈLE: Papa m'a donné 20 euros. Je vais chez le coiffeur.
> **Papa m'a donné 20 euros pour que j'aille chez le coiffeur.**

1. Mon prof de littérature m'a prêté son recueil de poèmes. Je lis Apollinaire.

   Mon prof de littérature m'a prêté son recueil de poèmes pour que je lise Apollinaire.

2. Ma tante m'a offert un Ipad. Nous communiquons par Internet.

   Ma tante m'a offert un Ipad pour que nous communiquions par Internet.

3. Mon correspondant haïtien nous a envoyé le nom d'un restaurant. Nous goûtons les spécialités haïtiennes.

   Mon correspondant haïtien nous a envoyé le nom d'un restaurant pour que nous

   goûtions les spécialités haïtiennes.

4. Ma sœur m'a offert un billet. Je vais au match de rugby avec elle.

   Ma sœur m'a offert un billet pour que j'aille au match de rugby avec elle.

5. Ma mère m'a offert un coffret de DVD. Je connais le cinéma de la Nouvelle Vague.

   Ma mère m'a offert un coffret de DVD pour que je connaisse le cinéma de la Nouvelle Vague.

6. La prof a expliqué la pièce de Molière. La classe comprend la satire.

   La prof a expliqué la pièce de Molière pour que la classe comprenne la satire.

7. Je vais aider Mathieu à réparer sa moto. Il va m'aider à écrire un poème.

   Je vais aider Mathieu à réparer sa moto pourqu'il m'aide à écrire un poème.

Unité 8

Leçon A

1 Faites correspondre la définition et le mot de vocabulaire.

A. un régime   E. une perruque   H. mourir
B. le roi   F. les aristocrates I. la reine
C. guillotiner   G. un citoyen   J. le clergé
D. faire ses adieux

_____B_____ 1. L'homme qui est le chef d'état et le symbole du pouvoir monarchique.

_____E_____ 2. Coiffure représentative de l'Ancien Régime.

_____I_____ 3. La femme du roi.

_____A_____ 4. Système politique pendant une période spécifique de l'histoire.

_____G_____ 5. Membre du peuple dans un régime républicain.

_____J_____ 6. Le corps religieux associé avec l'église, par exemple, les prêtres et les ministres.

_____H_____ 7. Le contraire de vivre.

_____C_____ 8. Exécuter une personne par décapitation.

_____F_____ 9. Les personnes qui faisaient partie de la noblesse.

_____D_____ 10. Dire au revoir, mais d'une manière finale.

2 | Complétez avec un mot ou expression de vocabulaire de la liste.

les aristocrates	l'Ancien Régime	perruques	obligé	les États généraux
le roi	ferait un discours	la reine	le clergé	mourir
des citoyens	guillotinés			

Mon prof d'histoire m'a parlé de la période de la Révolution française. Le régime monarchique

s'appelait (1) _____**l'Ancien Régime**_____. S'il y avait une crise politique ou financière une

assemblée serait convoquée par (2) _____**le roi**_____ qui était le chef d'état. Ces

assemblés s'appelaient (3) _____**les États généraux**_____. Les groupes suivants en faisaient partie. Il

y avait la noblesse ou (4) _____**les aristocrates**_____. Il y avait aussi les hommes responsables de

l'église ou (5) _____**le clergé**_____. On parlait devant l'assemblé quand on était en train de

discuter un problème. C'est-à-dire, on (6) _____**faisait un discours**_____.

Quand on parlait du peuple pendant la Révolution, on parlait (7) _____**des citoyens**_____

qui n'aimaient pas ce que faisaient les aristocrates. Il y en avait beaucoup qui étaient condamnés

à (8) _____**mourir**_____ et qui ont été (9) _____**guillotinés**_____.

La noblesse s'habillait d'une manière intéressante. Souvenez-vous de la femme du roi Louis

XVI, (10) _____**la reine**_____, Marie-Antoinette? Elle était célèbre pour les grandes

(11) _____**perruques**_____ qu'elle portait.

On t'a fait étudier tout ça? Oui, j'ai été (12) _____**obligé**_____ d'apprendre beaucoup sur

la Révolution française!

3 Dites ce que **vous étiez obligé(e) de** faire dans les situations suivantes. Finissez votre phrase avec une expression logique de la liste.

MODÈLE: En cours d'histoire, j'étais obligé(e) **d'apprendre la Première Guerre Mondiale.**

la nettoyer   faire mes adieux   apprendre la Première Guerre Mondiale
faire mes devoirs   étudier longtemps   lire un sonnet de Ronsard
faire de l'exercice   parler français tout le temps

1. En cours de littérature, _____ **j'étais obligé(e) de lire un sonnet de Ronsard.** _____ .

2. Puisque j'avais un grand examen difficile _____ **j'étais obligé(e) d'étudier longtemps.** _____ .

3. Après l'école _____ **j'étais obligé(e) de faire mes devoirs.** _____ .

4. Puisque ma chambre était en désordre _____ **j'étais obligé(e) de la nettoyer.** _____ .

5. En cours de langues _____ **j'étais obligé(e) de parler français tout le temps.** _____ .

6. Pour rester en forme _____ **j'étais obligé(e) de faire de l'exercice.** _____ .

7. Puisque mes cousins partaient pour habiter en Europe pendant longtemps

_____ **j'étais obligé(e) de faire mes adieux.** _____ .

4 Répondez aux questions d'après le dialogue des **Rencontres culturelles** de la **Leçon A**.

1. Qui paraît déguisé?

   Le roi, Louis XVI, paraît déguisé.

2. Quand est-ce qu'il était roi?

   Il était le dernier roi de France avant la Révolution française.

3. Il ne fait pas de discours. Qu'est-ce qu'il fait?

   Il a assisté à l'ouverture des États généraux; il était obligé de faire venir les députés

   parce que le gouvernement n'avait plus d'argent.

4. À qui et pourquoi fait-il ses adieux?

   Il fait ses adieux à sa femme, Marie-Antoinette, et à ses enfants parce qu'il allait mourir.

5. Qui est un des successeurs de Louis XVI?

   Napoléon est un successeur de Louis XVI.

6. Qui va étudier toute l'histoire jusqu'à la Vème République?

   Karim va étudier toute l'histoire jusqu'à la Vème République.

7. Qu'est-ce qu'Aïcha sait?

   Elle sait toutes ses tables de multiplication.

5 Répondez aux questions suivantes. Référez-vous aux **Points de départ** de la **Leçon A.**

Portrait de Louis XVI

1. Qu'est-ce que Louis XVI a fait qui montre qu'il était un roi réformateur?

   Il s'est entouré de personnalités réformatrices, en particulier en matière financière et

   économique.

2. Est-ce que la noblesse voulait aussi des réformes? Expliquez.

   Non, la noblesse ne voulait pas de réformes ni renoncer à certains de ses privilèges.

3. Quel rôle est-ce que Louis XVI a joué dans la guerre d'indépendance américaine?

   Il a décidé de soutenir la guerre d'indépendance américaine pendant son règne et a

   envoyé le général La Fayette.

4. Quelle forme de gouvernement est-ce que Louis XVI était incapable d'accepter?

   Il était incapable d'accepter une évolution de la monarchie absolue vers une monarchie

   constitutionnelle.

5. Quel document a-t-il refusé de signer?

   Il a refusé de signer l'abolition des privilèges et la Déclaration des Droits de l'Homme.

6. Quel a été le résultat de son refus de le signer?

   Déclaré « coupable de conspiration contre la sûreté de l'État, » il a été guillotiné le 21

   janvier 1793 sur l'actuelle place de la Concorde.

7. Qui a inventé la guillotine et pourquoi l'a-t-il inventée?

   Le Docteur Guillotin a inventé la guillotine parce qu'il voulait éviter la souffrance

   pendant les exécutions.

8. Où est-ce que les exécutions par guillotine avaient lieu pendant la Révolution?

   Elles avaient lieu sur la place de la Révolution, qui est maintenant la place de la Concorde.

Portrait de Marie-Antoinette

9. Comment est-ce que Marie-Antoinette a influencé les choix du Roi?

   Elle a beaucoup influencé le Roi dans son refus d'une évolution de la monarchie.

Continued on next page

Nom: _____   Date: _____

10. Où est-ce qu'elle a passé la fin de sa vie?

   Elle a passé la fin de sa vie emprisonnée dans deux cellules de la Conciergerie, une prison

   parisienne de 1391 à 1914.

   Les États généraux

11. Quels étaient les trois ordres de la population avant la Révolution française?

   Le clergé (qui avait le plus grand pouvoir), la noblesse (qui avait un peu moins de

   pouvoir), et le Tiers État (qui avait un pouvoir minime).

12. Qui représentait le Tiers État et quelle était une de leurs fonctions?

   Le Tiers État était représenté par les députés aux états-généraux. Une de leurs fonctions

   était de voter pour l'impôt.

   La Déclaration des Droits des hommes et du citoyen

13. Qu'est-ce que c'est, *la Déclaration des Droits de l'homme et du citoyen*?

   C'était un document qui a énoncé des droits naturels individuels et collectifs du peuple français.

14. Quel document américain l'a influencée?

   La Déclaration d'indépendance des États-Unis de 1776.

15. Qui était Olympe de Gouge?

   C'était une féministe qui a écrit *la Déclaration des Droits de la femme et de la citoyenne* en 1791.

16. Quel était le but de *la Déclaration des Droits de la femme et de la citoyenne*?

   Elle avait comme but d'appliquer les droits des hommes aux femmes.

17. Est-ce que l'Assemblé a accepté cette déclaration? Qu'est-ce qui est arrivé?

   Non, l'Assemblé a voté contre, et accusé Olympe de Gouges d'être l'auteur d'une affiche

   offensive contre le gouvernement. Elle a été guillotinée en 1793.

   La Francophonie: Révolution

18. Où et quand a eu lieu la Révolution de jasmin?

   La Révolution de jasmin a eu lieu en Tunisie en 2010-11.

19. Quel a été le résultat de cette révolution?

   La Tunisie est devenue une démocratie en tenant ses premières élections libres en Octobre 2011.

6 Continuez la phrase avec une expression de la liste **au présent**.

> **MODÈLE:** Nous aimons passer du temps à la campagne. C'est pourquoi nous **faisons du camping**.

faire un tour de manège	faire la lessive	faire du camping
faire du ski nautique	faire le ménage	faire une randonnée équestre
faire du patinage	faire une promenade	faire la vaisselle

1. Ma sœur adore les sports d'hiver, donc, elle _____ *fait du patinage* _____ tous les weekends.

2. Notre maison est très en désordre. C'est pourquoi nous _____ *faisons le ménage* _____.

3. Je n'ai pas de vêtements propres. Je _____ *fais la lessive* _____.

4. Toutes les assiettes sont sales, donc ils _____ *font la vaisselle* _____.

5. Tu aimes bien marcher en plein air. C'est pourquoi tu _____ *fais une promenade* _____ dans la forêt tous les après-midi.

6. À la fête foraine, les enfants _____ *font un tour de manège* _____.

7. Vous aimez faire du cheval. Vous _____ *faites une randonnée équestre* _____.

8. Tu vas souvent à la mer et tu _____ *fais du ski nautique* _____.

T'es branché? 3 Workbook

7 **Les expressions avec faire.** Complétez chaque phrase au **passé composé** avec une expression logique de la liste.

faire de la peinture   faire de la luge   faire nos adieux   faire grève
faire la cuisine   faire un discours   faire ses valises   faire un don
faire du shopping   faire de la planche à voile

MODÈLE: Nous **avons fait de la planche à voile** pendant nos vacances au bord de la mer.

1. Ma mère _____a fait la cuisine_____. Elle a préparé de la dinde aux marrons et une mousse au chocolat merveilleuses.

2. Tu _____as fait de la luge_____ en hiver quand tu étais petit.

3. Nous _____avons fait du shopping_____ pendant les soldes.

4. Vous _____avez fait de la peinture_____ pendant le cours des arts plastiques au lycée.

5. Les travailleurs n'étaient pas contents de la situation au travail, donc ils _____ont fait grève_____.

6. Nous _____avons fait nos adieux_____ le weekend passé. Notre cousin s'est inscrit dans l'armée et est parti faire son service militaire à l'étranger.

7. Le président a parlé au public hier soir. Il _____a fait un discours_____ important.

8. Ma tante est une personne charitable. Elle _____a fait un don_____ aux pauvres.

9. Je pars bientôt en vacances. C'est pourquoi j'_____ai fait mes valises_____ hier soir.

8 M. Durand va faire un voyage. Dites ce qu'il **fait faire** à son agent de voyage. Formez des phrases en utilisant des verbes de la liste.

acheter   réserver   confirmer   louer

MODÈLE: M. **Durand fait acheter un billet d'avion.**

1. _Answers will vary._____

2. _____

3. _____

4. _____

Nom: _____ Date: _____

9 Les Dupont viennent d'arriver dans leur nouvelle maison. Ils paient les autres pour faire des réparations ou aider à mettre la maison en ordre. Dites ce qu'ils **font faire** et choisissez une expression de la liste.

réparer la fenêtre accrocher des tableaux peindre les murs
cirer et nettoyer le parquet mettre des rideaux planter des fleurs
installer une nouvelle moquette rentrer le canapé est les fauteuils

MODÈLE: La couleur des murs est moche.
Ils font peindre les murs.

1. Il n'y a rien sur les murs.

   Ils font accrocher des tableaux. _____

2. La moquette du salon est vieille.

   Ils font installer la moquette. _____

3. La fenêtre est cassée.

   Ils font réparer la fenêtre. _____

4. Il n'y a rien dans le jardin.

   Ils font planter des fleurs. _____

5. Le parquet est dégoûtant.

   Ils font cirer et nettoyer le parquet. _____

6. Il n'y a rien sur les fenêtres de la grande chambre.

   Ils font mettre des rideaux. _____

7. Il n'y a pas de meubles dans le salon.

   Ils font rentrer le canapé et les fauteuils. _____

Leçon B

1 Faites correspondre les mots et expressions avec leur définition.

A. une lettre de motivation
B. une entreprise
C. les petites annonces
D. mi-temps
E. un CV
F. le salaire
H. un entretien
G. un contrat
I. un stage

_____E_____ 1. Un document qui détaille les compétences et expériences professionnelles d'une personne.

_____C_____ 2. Quelqu'un qui cherche un poste les consulte en ligne ou sur le journal.

_____I_____ 3. Une période de formation ou de pratique professionnelle qui prépare un candidat pour un poste.

_____A_____ 4. C'est ce qu'on écrit pour exprimer son intérêt pour un poste.

_____G_____ 5. C'est un document qu'on doit signer qui détaille les obligations de l'employé et d'un employeur.

_____F_____ 6. Le paiement pour un travail.

_____D_____ 7. Travail à temps partiel.

_____H_____ 8. Une interview.

_____B_____ 9. Une compagnie.

2 Un étudiant d'université raconte comment il a été embauché pour un stage d'entreprise. Complétez ce qu'il dit avec un mot ou une expression de vocabulaire de la liste.

une lettre de motivation	études	une entreprise	un stage
un CV	salaire	connaissances	le contrat
embauché	un entretien	formation	

Comme beaucoup d'étudiants à la faculté de gestion d'entreprise, j'avais l'obligation de faire

(1) _____un stage_____ dans (2) _____une entreprise_____ pendant la dernière année de

mes études. Mon professeur m'a aidé à trouver cette position. Il m'a demandé d'écrire

(3) _____une lettre de motivation_____ pour expliquer pourquoi je m'intéressais au poste.

Heureusement il me l'a corrigée! Je l'ai envoyée avec (4) _____un CV_____ qui détaillait

mes compétences. Quelle bonne surprise! Une semaine après, on m'a téléphoné pour

(5) _____un entretien_____. Ça s'est bien passé. J'ai été (6) _____embauché_____. J'ai

signé (7) _____le contrat_____ la semaine dernière, et j'ai commencé ma

(8) _____formation_____ tout de suite. Je suis très heureux de pouvoir mettre en pratique

mes (9) _____connaissances_____ acquises au cours de mes (10) _____études_____

à l'université. Je reçois mon premier (11) _____salaire_____ à la fin du mois. Avec le

premier chèque que je vais gagner, je t'invite au restaurant!

3 Paul cherche un poste. Mettez les événements dans l'ordre logique.

_____2_____ Il rédige un CV et une lettre de motivation.

_____1_____ Paul cherche un poste en regardant les petites annonces en ligne.

_____6_____ Le travail lui convient. Il est embauché, et il signe un contrat.

_____5_____ Il va à un rendez-vous pour un entretien.

_____7_____ Il commence sa formation à l'entreprise.

_____3_____ Il envoie le CV accompagné d'une lettre de motivation et d'une photo.

_____4_____ Il reçoit une réponse positive, et il est convoqué pour un entretien.

4 Répondez aux questions d'après le dialogue des **Rencontres culturelles** de la **Leçon B**.

1. Qu'est-ce que Karim est en train de faire?

   Il est en train de rédiger une lettre de candidature pour un stage.

2. Où est-ce qu'il aimerait faire un stage cet été?

   Il aimerait faire un stage à Bruxelles à la Commission européenne.

3. Quel poste désire-t-il?

   Il aimerait être assistant junior.

4. Est-ce qu'il veut travailler à plein temps ou mi-temps?

   Il désire travailler à plein temps.

5. Qu'est-ce qu'il doit commencer à rédiger ensuite?

   Il doit commencer à rédiger sa lettre de motivation.

6. Est-ce que Karim trouve facilement des modèles pour sa lettre de motivation?

   Non, il a beau chercher des modèles, il n'en trouve pas.

7. Quelles sont les qualités de Karim?

   Il écrit bien, parle plusieurs langues, est sympa, s'intéresse aux autres….

8. A-t-il des expériences professionnelles?

   Oui, il a fait plein de petits boulots.

5 Répondez aux questions suivantes. Référez-vous aux **Points de départ** de la **Leçon B**.

Les institutions de l'Union européenne (UE) en quelques villes

1. La Commission européenne est le symbole de quoi?

   La Commission européenne est le symbole de l'administration européenne.

2. Quel est son rôle?

   La Commission est d'abord la "gardienne des Traités," et représente et défend les intérêts

   de l'UE dans sa globalité.

3. Que fait le Conseil européen?

   Il réunit les chefs d'État et de gouvernement des pays membres de l'Union européenne.

   Il définit les grandes orientations, et décide des politiques à mettre en œuvre.

4. Où se trouvent la Commission européenne et le Conseil européen?

   Ils se trouvent à Bruxelles.

5. Où se trouve le Parlement européen et quel est son rôle?

   Le Parlement européen se trouve à Strasbourg. Il examine et adopte les lois.

6. Que fait la Cour de justice des Communautés européennes?

   Elle règle les relations entre les Institutions européennes, les États, et les citoyens.

7. Où se trouve-t-elle?

   Elle se trouve à Luxembourg.

8. Quel rôle important joue la Banque européenne à Francfort?

   Elle garantit la stabilité de l'euro.

9. Expliquez ce que c'est, l'espace Schengen.

   C'est un petit village au bord de la Moselle situé entre les frontières allemande,

   luxembourgeoise belge, et française. Il regroupe tous les pays qui constituent un espace sans

   frontière intérieure et qui confient la surveillance des frontières terrestres, aériennes, et

   maritimes aux pays qui en sont limitrophes.

Continued on next page

10. Décrivez le drapeau de l'Union européenne.

Le drapeau de l'Union européen a 12 étoiles dorées disposées en cercle sur fond bleu.

11. Qu'est-ce que ce drapeau représente et de quand date-t-il?

Il représente la solidarité et l'union entre les peuples d'Europe. Il date de 1955.

La Francophonie: Institutions

12. Quels sont les objectifs de la Ligue arabe?

Son but est solidifier les relations entre pays membres. Elle doit aussi assurer la protection de

leur indépendance et leur souveraineté, et protéger les affaires et les intérêts des pays arabes.

La Francophonie: Citoyens de l'UE

13. Où se situe la région Euskadi? C'est quel genre de région et qui sont ses citoyens?

L'Euskadi est une région autonome en Espagne où les citoyens sont des Basques.

14. Est-ce qu'il y a des Basques aussi en France? Où?

Oui, ils habitent dans le département des Pyrénées Atlantiques.

15. Quel est un sport populaire basque?

Un sport populaire basque est la pelote.

Nom: _____ Date: _____

6 Récrivez chaque phrase en remplaçant l'expression en italiques avec une expression avec avoir choisie de la liste.

avoir horreur de	avoir lieu	avoir l'air	avoir envie de
avoir peur de	avoir beau	avoir raison	avoir hâte de

MODÈLE: Elle *paraît* gentille.
Elle a l'air gentil.

1. Nous *voulons bien* venir te voir.

   Nous avons envie de venir te voir.

2. Il *semble* fatigué.

   Il a l'air fatigué.

3. Je *suis impatient de* la rencontrer.

   J'ai hâte de la rencontrer.

4. Je cherche des informations *en vain*.

   J'ai beau chercher des informations.

5. Je *crains* de te déranger.

   J'ai peur de te déranger.

6. Tu *es correcte*.

   Tu as raison.

7. Le concert *est* à 20h00 demain soir.

   Le concert a lieu à 20h00 demain soir.

8. *Ils détestent* les émissions de téléréalité.

   Ils ont horreur des émissions de téléréalité.

7 Basé sur la situation, écrivez une phrase qui emploie l'expression **avoir beau**.

> **MODÈLE:**   J'ai cherché longtemps des informations sans rien trouver.
> **J'ai beau chercher des informations**.

1. Nicole a passé beaucoup de temps à faire le problème de maths sans trouver une solution.

   Elle a beau faire le problème de maths.

2. Nous avons attendu nos amis pendant longtemps, mais ils ne sont pas venus.

   Nous avons beau attendre nos amis.

3. J'ai cherché mon sac pendant des heures, mais je ne l'ai jamais trouvé.

   J'ai beau chercher mon sac.

4. Ils ont passé beaucoup de temps à expliquer la situation, mais personne n'a compris.

   Ils ont beau expliquer la situation.

5. Il cherche du travail depuis des mois, mais ne trouve rien.

   Il a beau chercher du travail.

6. Vous avez beaucoup étudié pour l'examen, mais vous n'avez pas reçu une très bonne note.

   Vous avez beau étudier pour l'examen.

7. Malick s'est longtemps entraîné mais il a perdu le match.

   Il a beau s'entraîner.

8 Complétez avec **après** et **l'infinitif passé** du verbe entre parenthèses.

> **MODÈLE:** **Après avoir appelé**, je suis allé au rendez-vous. (appeler)

1. _____**Après avoir téléphoné**_____, il est venu me voir. (téléphoner)

2. _____**Après être allés**_____ au cinéma, ils sont allés boire au café. (aller)

3. _____**Après être arrivée**_____ en stage, elle a commencé sa formation. (arriver)

4. _____**Après avoir reçu**_____ son premier salaire, Aude m'a invité au restaurant. (recevoir)

5. _____**Après être sortis**_____ du restaurant, nous sommes allés à la discothèque. (sortir)

6. _____**Après avoir rédigé**_____ sa lettre de candidature, Louis l'a envoyée à l'entreprise. (rédiger)

7. _____**Après être partis**_____, ils sont rentrés chez eux. (partir)

8. _____**Après avoir vu**_____ la petite annonce, elle a décidé de faire une demande d'emploi. (voir)

9. _____**Après s'être préparée**_____, elle est partie au travail. (se préparer)

9 Répondez aux questions suivantes en utilisant **l'infinitif passé**.

> **MODÈLE:** Quand est-ce que tu regardes la télé?. (finir mes devoir)
> **Je regarde la télé après avoir fini mes devoirs.**

1. Quand est-ce que tu prends une douche? (se réveiller)

   Je prends une douche après m'être réveillé(e).

2. Quand est-ce que tu fais la vaisselle? (prendre le déjeuner)

   Je fais la vaisselle après avoir pris le déjeuner.

3. Quand est-ce que ta famille et toi nous rendrez visite? (nettoyer la maison)

   Nous vous rendrons visite après avoir nettoyé la maison.

4. Quand est-ce que ton frère part en tournée avec son groupe? (bien s'entraîner)

   Il part en tournée avec son groupe après s'être bien entraîné.

5. Quand est-ce que nous retournerons dans ce restaurant? (économiser de l'argent)

   Nous retournerons dans ce restaurant après avoir économisé de l'argent.

10 Demander à un ami ce qu'il a fait **après avoir fait** certaines activités.

> **MODÈLE:** Travailler
> **Qu'est-ce que tu as fait après avoir travaillé?**

1. manger

   Qu'est-ce que tu as fait après avoir mangé?

2. aller au cinéma

   Qu'est-ce que tu as fait après être allé(e) au cinéma?

3. se coucher

   Qu'est-ce que tu as fait après t'être couché(e)?

4. téléphoner

   Qu'est-ce que tu as fait après avoir téléphoné?

5. se connecter

   Qu'est-ce que tu as fait après t'être connecté(e)?

6. parler avec ton père

   Qu'est-ce que tu as fait après avoir parlé avec ton père?

7. s'entraîner

   Qu'est-ce que tu as fait après t'être entraîné(e)?

8. s'endormir

   Qu'est-ce que tu as fait après t'être endormi(e)?

9. sortir avec tes amis

   Qu'est-ce que tu as fait après être sorti(e) avec tes amis?

10. faire tes corvées

    Qu'est-ce que tu as fait après avoir fait tes corvées?

11 Formez une seule phrase qui commence avec **avoir** et **l'infinitif passé** et qui continue avec un verbe au **passé composé**.

> **MODÈLE:**   surfer sur internet/je/trouver un site de jobs d'été
> **Après avoir surfé sur Internet, j'ai trouvé un site de jobs d'été.**

1. explorer le site/nous/choisir une région

   Après avoir exploré le site, nous avons choisi une région.

2. passer plusieurs entretiens/elle/choisir un stage à Paris

   Après avoir passé plusieurs entretiens, elle a choisi un stage à Paris.

3. aller à l'entretien/elle/décider d'accepter le poste

   Après être allée à l'entretien, elle a décidé d'accepter le poste.

4. sélectionner cinq adresses/je/envoyer des lettres de candidature

   Après avoir sélectionné cinq adresses, j'ai envoyé des lettres de candidature.

5. attendre quelques jours/il/recevoir deux réponses

   Après avoir attendu quelques jours, il a reçu deux réponses.

6. examiner les deux possibilités/ils/choisir le job à Paris

   Après avoir examiné les deux possibilités, ils ont choisi le job à Paris.

7. choisir le poste/elle/se renseigner sur l'entreprise

   Après avoir choisi le poste, elle s'est renseignée sur l'entreprise.

8. sortir du bureau/ils/prendre un repas d'affaires

   Après être sortis du bureau, ils ont pris un repas d'affaires.

9. se présenter pour l'entretien/elle/parler de ses compétences pour le poste

   Après s'être présentée pour l'entretien, elle a parlé de ses compétences pour le poste.

Leçon C

1 Vous avez eu un accident. Complétez les événements pour vous faire soigner avec un mot ou expression de vocabulaire de la liste.

cheville	me faire soigner	des séances de rééducation	accéder à des soins
la facture	cassé	tombé(e)	guéri(e)
maladie	un traitement		

1. J'ai glissé, et je suis _____**tombé(e)**_____.

2. Je ne pouvais pas marcher. Ma _____**cheville**_____ me faisait mal.

3. J'avais besoin d'_____**accéder à des soins**_____, donc, je suis allé(e) à l'hôpital.

4. C'est la sécu qui allait payer _____**la facture**_____.

5. J'avais aussi une assurance_____**maladie**_____ complémentaire.

6. Je suis allé à l'hôpital pour _____**me faire soigner**_____.

7. J'ai appris que je me suis _____**cassé**_____ la cheville.

8. Le médecin m'a donné_____**un traitement**_____.

9. Après, je devais faire _____**des séances de rééducation**_____ chez le kiné.

10. Finalement, quelques mois plus tard, j'étais complètement _____**guéri(e)**_____.

2 Récrivez chaque phrase en remplaçant les mots en italiques par une expression équivalente en signification. Choisissez de la liste.

Néanmoins	avez le droit	cette citation	a tort	deuxièmement
d'avantage	évidemment	les moyens de	premièrement	

MODÈLE: *C'est correct*, Monsieur.
            Vous avez raison.

1. *D'abord,* tout le monde en France peut profiter de la sécu.

   Premièrement, tout le monde en France peut profiter de la sécu.

2. *Ensuite*, il faut profiter de ce service social.

   Deuxièmement, il faut profiter de ce service social.

3. Il *n'a pas raison*.

   Il a tort.

4. *Cependant*, on n'est pas toujours d'accord.

   Néanmoins, on n'est pas toujours d'accord.

5. *Certainement*, on peut aller chez le médecin quand on en a besoin.

   Évidemment, on peut aller chez le médecin quand on a besoin.

6. Vous *êtes autorisé* de recevoir des soins médicaux.

   Vous avez le droit de recevoir des soins médicaux.

7. Elle a *assez d'argent pour* payer un taxi.

   Elle a les moyens de payer un taxi.

8. On peut parler *encore plus* un peu plus tard.

   On peut parler d'avantage un peu plus tard.

9. Je vais vous lire *ces paroles célèbres* du discours du président.

   Je vais vous lire cette citation du discours du président.

3 Vous êtes en train de discuter avec un ami. Est-ce que vous continueriez logiquement en disant « **Tu as raison?** » ou « **Tu as tort?** »

> MODÈLE: Je suis d'accord avec toi.
> **Tu as raison**.

1. C'est vrai ce que tu dis. _____Tu as raison._____

2. Comment tu peux dire ça!? _____Tu as tort._____

3. Comment peut-on penser autrement? _____Tu as raison._____

4. Je suis entièrement de ton avis. _____Tu as raison._____

5. Évidemment tu ne comprends pas la situation. _____Tu as tort._____

6. Ce que tu dis est juste. _____Tu as raison._____

7. Les chiffres indiquent que ce n'est pas du tout la situation! _____Tu as tort._____

8. J'ai un autre point de vue. _____Tu as tort._____

4 Réagissez aux affirmations suivantes en utilisant le vocabulaire de la **Leçon C**.

1. Le président le la République prend toujours de bonnes décisions économiques.

   Answers will vary. _____

2. Dans notre pays, la sécurité sociale n'est pas satisfaisante pour tous.

   _____

3. Notre école a besoin d'un gymnase avec un équipement plus moderne.

   _____

4. Les élèves les plus intelligents font des études longues.

   _____

5. Il est impossible de changer les problèmes sociaux.

   _____

5   Encerclez la réponse qui est **un synonyme** pour les mots en italiques.

1. Un enfant immigré illégal a *cependant* le droit d'aller à l'école.

     A. au contraire   B. premièrement   (C. néanmoins)

2. *Certainement*, ses parents n'ont pas le droit de travailler

     A. D'ailleurs   (B. Évidemment)   C. Par exemple

3. Je ne veux pas porter un jugement maintenant. On peut en discuter *plus* une autre fois.

     (A. davantage)   B. cependant   C. d'ailleurs

4. *D'abord*, je sais déjà ce que vont dire les associations de défense.

     A. Néanmoins   (B. Premièrement)   C. Évidemment

5. *Par contre*, elles ne manquent jamais une occasion de protester.

     A. Par exemple   (B. D'ailleurs)   C. Comme les chiffres indiquent

6. *Vous avez raison.* Cet article du journal a de bons arguments.

     (A. Je suis de votre avis.)   B. Vous avez le droit.   C. Vous êtes guéri.

7. *Je ne suis pas contre* le droit à l'école pour les enfants.

     A. J'ai raison   (B. Je suis pour)   C. Je suis de votre avis

8. Cependant, les circonstances *montrent* qu'il faut quand même exercer un contrôle sur les dépenses.

     (A. indiquent)   B. ont tort   C. rédigent

6 Répondez **vrai** ou **faux** d'après le dialogue des **Rencontres culturelles** de la **Leçon C**. Si la réponse est fausse, corrigez-là.

1. Élodie n'est pas libre parce qu'elle doit accompagner Mamy chez le dentiste.

   Faux. Élodie n'est pas libre parce qu'elle doit accompagner Mamy chez le kiné.

2. Mamy va chez le kiné en voiture médicalisée.

   Vrai.

3. Mamy n'a pas les moyens de payer un taxi.

   Faux. Mamy a les moyens de payer un taxi.

4. Mamy paie juste 2,40 € pour prendre la voiture médicalisée parce qu'elle a le droit à ce service de la sécu.

   Vrai.

5. Léo et Élodie sont du même avis en ce qui concerne la sécu et les assurances individuelles.

   Faux. Ils ne sont pas du même avis.

7 Répondez aux questions suivantes. Référez-vous aux **Points de départ** de la **Leçon C**.

Les droits sociaux

1. Quelles sont les origines du système de protection sociale français?

   Issu directement de la Déclaration des Droits de l'homme et du citoyen de 1789, il a été

   mis en place en 1945, et faisait partie du programme du Conseil national de la Résistance.

   Le modèle social français est celui de l'État-Providence.

2. Indiquez la différence en politique entre les conservateurs et les réformateurs en ce qui concerne les droits sociaux.

   Les conservateurs veulent conserver l'État-Providence et les réformateurs dénoncent

   l'État-Assistance.

3. Donnez des exemples du principe de solidarité collective qui règle le modèle français.

   Cette solidarité collective touche les domaines suivants: la protection sociale, l'éducation,

   et la politique familiale.

4. Quels sont les différents types de prestations sociales auxquelles ont droit les Français?

   Les prestations sociales sont de quatre types: les prestations de santé (maladie, invalidité,

   infirmité, accidents du travail), familiales (allocations selon le nombre d'enfants, congé

   de maternité, congé parental, allocation logement), d'emploi (allocations chômage,

   allocations de préretraite), et de vieillesses (retraites et pensions).

5. Quel service social existe pour les parents des jeunes enfants qui travaillent?

   Pour les parents qui travaillent, les crèches s'occupent des bébés de deux mois et demi

   jusqu'à l'âge de trois ans.

6. Comment est-ce que les parents paient ce service?

   Les parents paient selon leurs moyens.

8 Complétez la conversation avec une expression choisie de la liste.

être d'accord	être prêt	être au courant	être occupé	être chargé de
être en retard	c'est	être en train de	être étonné	

MODÈLE: –Tu es surpris?
–Eh ben, oui! Je **suis étonné**!

1. –Alors, il paraît que tu viens.

   –Tu _____**es au courant**_____ de ce que nous faisons cet après-midi?

2. –Oui, _____**c'est**_____ Fatima qui m'en a parlé!

3. –Elle est de notre avis? Elle _____**est d'accord**_____?

   –Oui, bien sûr!

4. –Et toi, tu t'es préparée? Tu _____**es prête**_____ à venir?

5. –Il me faut encore quelques minutes. Je_____**suis en train de**_____ me préparer.

6. –C'est moi qui ai la responsabilité de t'accueillir. Je _____**suis chargé**_____ de te présenter aux autres.

7. –Fatima ne peut pas venir?

   –Non, elle_____**est occupée**_____. Tu la connais. Elle a toujours trop à faire.

8. –Nous _____**sommes en retard**_____?

   –Je crois que nous avons encore quelques minutes, mais il faut nous dépêcher!

9 Dites à qui est chaque objet.

MODÈLE: Les clés USB? (Karim)
Elles sont à Karim.

1. Le portable? (Élodie) _____**Il est à Elodie.**_____

2. La tablette? (Léo) _____**Elle est à Léo.**_____

3. Les tennis? (Luc et moi) **Ils sont à Luc et à moi.**

4. Le DVD? (Didier?) _____**Il est à Didier.**_____

5. Les câbles d'ordinateur? (Fatima et Idriss) **Ils sont à Fatima et Idriss.**

6. Le chargeur? (la prof de techno) **Il est à la prof de techno.**

7. Les skis? (Benoît) _____**Ils sont à Benoît.**_____

10 Changez les verbes du passé composé au **plus-que-parfait**.

> MODÈLE: J'ai répondu.
> **J'avais répondu.**

1. Elle a dit.

   Elle avait dit. _____

2. Il est venu.

   Il était venu. _____

3. Tu as pensé.

   Tu avais pensé. _____

4. Elle est partie.

   Elle était partie. _____

5. Nous sommes allés.

   Nous étions allés. _____

6. Vous avez trouvé.

   Vous aviez trouvé. _____

7. Ils sont arrivés.

   Ils étaient arrivés. _____

8. Je n'ai pas compris.

   Je n'avais pas compris. _____

9. On s'est retrouvé.

   On s'était retrouvé. _____

10. Elles ne sont pas revenues.

    Elles n'étaient pas revenues. _____

11 Formez des phrases avec le verbe au **plus-que-parfait**.

> **MODÈLE:** il /écouter mes conseils
> **Il avait écouté mes conseils.**

1. nous/acheter les billets de train

   Nous avions acheté les billets de train.

2. elles/partir en avance

   Elles étaient parties en avance.

3. nous/arriver à l'heure

   Nous étions arrivé(e)s à l'heure.

4. je/prendre le bon train

   J'avais pris le bon train.

5. ils/regarder le numéro du quai

   Ils avaient regardé le numéro du quai.

6. il/ne pas oublier les billets

   Il n'avait pas oublié les billets.

7. vous/prendre un taxi

   Vous aviez pris un taxi.

8. elles/se dépêcher

   Elles s'étaient dépêchées.

Nom: _____ Date: _____

12 Le Club de français a fait un voyage à Paris. Tout le monde a montré des photos et raconté ce qu'ils **avaient fait**. Racontez ce qu'ils ont dit selon les illustrations.

MODÈLE:  Corinne
Corinne a dit qu'elle avait visité le Louvre.

1. tu 2. Paul et Henri 3. les filles 4. je

5. vous 6. nous 7. ma prof

1. **Tu as dit que tu avais pris le bateau-mouche.** _____

2. **Paul et Henri ont dit qu'ils étaient montés à la Tour Eiffel.** _____

3. **Les filles ont dit qu'elles avaient rencontré des garçons.** _____

4. **J'ai dit que j'étais allé(e) au café.** _____

5. **Vous avez dit que vous aviez acheté du parfum français.** _____

6. **Nous avons dit que nous avions visité le Sacré-Cœur.** _____

7. **Ma prof a dit qu'elle était allée en discothèque.** _____

13 Expliquez ce qui s'est passé. Formez une phrase avec le premier verbe au **passé composé** et le deuxième verbe au **plus-que-parfait**.

> MODÈLE: Léo /aller chez le médecin/il/être malade
> **Léo est allé chez le médecin parce qu'il avait été malade.**

1. Fatima/prendre ce billet/elle/vouloir aller à l'exposition

   Fatima a pris ce billet parce qu'elle avait voulu aller à l'exposition.

2. Julianne et Thomas/ être déçus/vous/pouvoir venir

   Julianne et Thomas ont été déçus parce que vous n'aviez pas pu venir.

3. nous/regarder ce DVD/nous/avoir envie de voir une comédie

   Nous avons regardé ce DVD parce que nous avions eu envie de voir une comédie.

4. il/faire le voyage/on/l'inviter

   Il a fait le voyage parce qu'on l'avait invité.

5. je/avoir des places pour le concert/je/acheter les billets sur Internet

   J'ai eu des places pour le concert parce que j'avais acheté les billets sur Internet.

6. les Bardi/ne pas venir/ils/avoir un accident

   Les Bardi ne sont pas venus parce qu'ils avaient eu un accident.

7. ma grand-mère/aller chez le médecin/elle/se casser la cheville

   Ma grand-mère est allée chez le médecin parce qu'elle s'était cassé la cheville.

Unité 9

Leçon A

1 Comment est-ce que Marina **s'est sentie** quand elle a dit ou quand on lui a dit les choses suivantes? Finissez votre phrase avec un mot de la liste.

découragée   fâchée   attristée   encouragée   honteuse   fière

> **Modèle:** C'est super ce que tu as fait. Bravo!
> **Elle s'est sentie fière.**

1. Je ne suis pas très fière de ce que j'ai fait.

   Elle s'est sentie honteuse.

2. Ce n'est pas la peine de téléphoner, je ne te répondrai pas.

   Elle s'est sentie fâchée.

3. Allez! Oui! Vas-y! Tu vas y arriver! Tu es magnifique!

   Elle s'est sentie encouragée (fière).

4. Non, je ne pourrai jamais le faire! C'est une impossibilité!

   Elle s'est sentie découragée.

5. Comment ont-ils pu avoir cette attitude? Ça me donne envie de pleurer!

   Elle s'est sentie attristée.

2 Dites ce que les personnes suivantes **évitent** selon la situation. Finissez votre phrase avec un mot ou une expression de la liste.

une bagarre	les commérages	de se faire arrêter
de se faire bousculer	de trébucher	la grêle

MODÈLE: Il ne sort pas parce qu'il fait très mauvais.
Il évite la grêle.

1. Ils ne vont pas dans le métro parce qu'il y a trop de monde. Ils prennent la voiture.

   Ils évitent de se faire bousculer.

2. Elle refuse de dire des choses pas très sympa et pas vraies des autres.

   Elle évite les commérages.

3. Il y a une grande manifestation aujourd'hui qui risque de devenir dangereuse, et il y aura beaucoup de policiers. Il ne participe pas.

   Il évite de se faire arrêter.

4. Les garçons sont très fâchés, mais ont décidé de résoudre le problème en parlant sans se battre.

   Ils évitent une bagarre.

5. Elle fait très attention en se promenant parce qu'il y a beaucoup de choses par terre.

   Elle évite de trébucher.

3 Dites comment **semblaient** les personnes suivantes d'après la situation. Finissez votre phrase avec un mot de la liste.

fâché   découragé   attristé   encouragé   honteux   fière

MODÈLE: Ma petite sœur pleurait parce qu'elle avait perdu sa poupée préférée.
Elle semblait attristée.

1. Mon petit frère avait des difficultés en maths, mais le prof lui a dit qu'il était quand même très intelligent et pouvait réussir avec des leçons particulières.

   Il semblait encouragé.

2. Par contre, ma meilleure amie essaie et essaie de comprendre les maths et continue de recevoir de mauvaises notes. Elle ne trouve personne qui veut l'aider.

   Elle semblait découragée.

3. Ils ont finalement gagné le championnat!

   Ils semblaient fiers.

4. Elle était en train de dire les commérages quand la personne dont elle parlé était juste derrière elle et l'a entendue. Elle n'était pas très fière de ce qu'elle a dit.

   Elle semblait honteuse.

5. Ce garçon méchant a fait trébucher la fille, et puis il a ri!

   Elle semblait fâchée.

4 Exprimez ces phrases d'une autre manière en utilisant les expressions de la **Leçon A**.

1. Tu n'avais pas bonne mine.

   Tu ne semblais pas très bien.

2. Je ne pouvais pas décider.

   J'étais incapable de décider.

3. Elle avait l'air triste.

   Elle semblait attristée.

5 Répondez aux questions d'après le dialogue des **Rencontres culturelles** de la **Leçon A**.

1. Est-ce qu'Élodie avait bonne mine à l'école ce matin?

   Non, elle ne semblait pas très bien.

2. Qu'est-ce qui lui est arrivé à la maison?

   Elle a voulu commencer à travailler, mais elle était incapable de décider quelle était la

   priorité. Paniquée et effondrée de fatigue, elle a dormi 18 heures.

3. Pourquoi le bac la tourmente-t-elle?

   Elle n'avait pas assez bossé auparavant.

6 Répondez aux questions suivantes. Référez-vous aux **Points de départ** de la **Leçon A**.

Le système scolaire français

1. L'éducation nationale a quelle priorité dans le budget de l'état français?

   Le budget de l'éducation nationale représente le premier budget de l'état français.

2. Quels sont les trois niveaux du système scolaire français?

   Le primaire, le secondaire, et le supérieur.

3. Sur quels principes repose ce système scolaire?

   L'école est obligatoire, laïque, et gratuite.

4. Quel pourcentage des étudiants français sont instruits dans les établissements religieux?

   Seize pourcent des étudiants français.

5. Combien est-ce qu'un étudiant d'université paie par an pour son instruction?

   Un étudiant français paie environ 2.000€ par an.

6. Décrivez le calendrier scolaire de l'enseignement primaire.

   Dans l'enseignement primaire, on a une semaine de quatre jours et un emploi du temps

   de 8h30 à 16h30.

7. Combien d'heures par semaine est-ce que les profs du lycée sont présents dans leurs établissements?

   Les profs du lycée sont présents 15 à 18 heures par semaine.

8. Et les profs d'universités sont présents combien d'heures par an?

   Les profs d'universités sont présents 108 heures par an.

Le baccalauréat

9. Quel pourcentage d'élèves d'une classe d'âge à passer le bac réussit en France?

   Aujourd'hui, 64,8% des jeunes d'une classe ont leur bac.

10. C'est à quel moment de l'année qu'on passe le bac?

    On passe le bac en juin.

11. Quels sont les divers genres de bacs, et combien de diplômés sur cent le réussissent dans chaque catégorie?

    Sur 100 diplômés, 54 ont un bac d'enseignement général; 26 un bac technologique, et 20

    un baccalauréat professionnel.

7 Les phrases suivantes sont au passé composé. Écrivez-les au **conditionnel passé**.

> **MODÈLE:** J'ai repassé le bac.
> **J'aurais repassé le bac.**

1. Elle a révisé.

   Elle aurait révisé.

2. Ils sont restés à la maison.

   Ils seraient restés à la maison.

3. Tu as fermé ton compte de Facebook.

   Tu aurais fermé ton compte de Facebook.

4. Nous avons établi un programme de travail.

   Nous aurions établi un programme de travail.

5. Il est parti travailler à la campagne.

   Il serait parti travailler à la campagne.

6. Je me suis préparé(e).

   Je me serais préparé(e).

7. Vous avez travaillé toute l'année.

   Vous auriez travaillé toute l'année.

8. Elles ont pris leur temps.

   Elles auraient pris leur temps.

8 Si c'était à refaire…. Formez des phrases avec le verbe au **conditionnel passé**.

> **Modèle:** je/bosser davantage
> **J'aurais bossé davantage.**

1. tu/finir plus tôt

   Tu aurais fini plus tôt. _____

2. il/acheter des places pour le concert

   Il aurait acheté des places pour le concert. _____

3. nous/arriver à l'heure

   Nous serions arrivés à l'heure. _____

4. ils/se reposer plus longtemps

   Ils se seraient reposés plus longtemps. _____

5. vous/prendre plus de temps

   Vous auriez pris plus de temps. _____

6. je/me dépêcher

   Je me serais dépêché(e). _____

7. nous/être plus responsables

   Nous aurions été plus responsables. _____

9 Si les personnes suivantes avaient gagné un voyage…où seraient-elles allées et qu'auraient-elles fait? Répondez en mettant les verbes au **conditionnel passé**.

> **MODÈLE:** je/aller au Mont-Saint-Michel/visiter l'Abbaye
> **Je serais allé(e) au Mont-Saint-Michel, et j'aurais visité l'Abbaye.**

1. tu/aller à Bordeaux/photographier les vignobles

   Tu serais allé à Bordeaux, et tu aurais photographié les vignobles.

2. ils/aller à Marseille/monter à Notre-Dame de la Garde

   Ils seraient allés à Marseille, et ils seraient montés à Notre-Dame de la Garde.

3. nous/aller à Cannes/faire une promenade sur la Croisette

   Nous serions allés à Cannes, et nous aurions fait une promenade sur la Croisette.

4. elles/aller en Touraine/visiter les châteaux de la Loire

   Elles seraient allées en Touraine, et elles auraient visité les châteaux de la Loire.

5. il/aller à Lyon/assister au spectacle de Guignol

   Il serait allé à Lyon, et il aurait assisté au spectacle de Guignol.

6. vous/aller à Strasbourg/se promener dans le quartier de la Nouvelle France

   Vous seriez allés à Strasbourg, et vous vous seriez promenés dans le quartier de

   la Nouvelle France.

7. je/aller en Normandie/voir plages du débarquement

   Je serais allé(e) en Normandie, et j'aurais vu les plages du débarquement.

10 Formez une phrase qui commence par **si**, suivie du **plus-que-parfait**, et du **conditionnel passé**.

> MODÈLE: tu/travailler/réussir
> **Si tu avais travaillé, tu aurais réussi.**

1. nous/partir en avance/ éviter la grêle

   Si nous étions partis en avance, nous aurions évité la grêle.

2. tu/faire attention/ne pas trébucher

   Si tu avais fait attention, tu n'aurais pas trébuché.

3. elle/ne pas paniquer/ prendre une meilleure décision

   Si elle n'avait pas paniqué, elle aurait pris une meilleure décision.

4. je/être encouragé(e)/pouvoir réussir

   Si j'avais été encouragé(e), j'aurais pu réussir.

5. tu/étudier/recevoir une meilleure note

   Si tu avais étudié, tu aurais reçu une meilleure note.

6. vous/envoyer un CV/être convoqué pour un entretien

   Si vous aviez envoyé un CV, vous auriez été convoqué pour un entretien.

7. ils/s'entraîner/être en forme

   S'ils s'étaient entraînés, ils auraient été en forme.

8. tu/me téléphoner /avoir des nouvelles

   Si tu m'avais téléphoné, tu aurais eu des nouvelles.

Leçon B

1 Encerlez le mot qui ne va pas logiquement avec les autres.

1. frisés, bouclés, (raides)

2. (costaud,) mince, maigre

3. rayures, carreaux, (chauve)

4. (courts,) costauds, faibles

5. cinquantaine, vingtaine, (africaine)

2 Faites un dessin d'après les descriptions des personnes suivantes.

Drawings will vary.		

1. une fille aux cheveux mi-longs et frisés

2. un homme chauve

3. une femme aux cheveux longs et raides

4. un garçon fort

5. un gros chat

6. une fille mince

6. une cravate à rayures

8. un maillot de bain à pois

9. un pyjama à carreaux

3 Physiquement Louis est tout le contraire de Nicolas. Lisez la description de Louis, puis faites la description de Nicolas.

Louis est petit est costaud. Il est fort et a les cheveux courts et frisés. Il est assez vieux. Il a une cinquantaine d'années. Il est d'origine africaine.

Possible Answer: **Nicolas est grand et mince. Il est faible et a les cheveux longs et** _____

raides. Il est assez jeune. Il a une vingtaine d'années. Il est d'origine scandinave. _____

_____

4 Complétez les phrases suivantes en donnant plusieurs caractéristiques, si possible.

MODÈLE: Ma mère a les cheveux **longs**, **raides**, et **bruns**.

1. Mon meilleur ami porte des vêtements _____*Answers will vary.*_____ .

2. Richard Simmons était _____**gros**_____ , maintenant, il est _____**mince.**_____ .

3. Mon père a une _____*Answers will vary.*_____ d'années.

4. Quand j'avais 10 ans, j'avais les cheveux _____*Answers will vary.*_____ .

5. Mon type idéal de beauté est _____*Answers will vary.*_____ .

6. La cousine de Manu est née à Séoul. Elle est d'origine _____**asiatique**_____ .

7. Le petit frère de Marine a 11 ans et pèse 80 kilos. Il est _____**gros**_____ .

8. Laziza n'a pas encore la quarantaine mais a plus d'une vingtaine d'années. Elle a

_____**une trentaine**_____ d'années.

5 Faites une description détaillée de chaque personne.

MODÈLE: M. Gangster

M. Gansgter a les cheveux courts et bouclés. Il est d'origine scandinave. Il porte des lunettes, une chemise à pois, et une veste à rayures. Il a une quarantaine d'années.

1. David Hollywood   **2. Mme Ponce**   **3. M. Krim**

4. Alec   **5. Mme Labec**

1. *Possible answers:* **David Hollywood est d'origine scandinave. Il a les cheveux courts et blonds. Il est très fort. Il a une cinquantaine d'années.**

2. **Mme Ponce a une soixantaine d'années. Elle est d'origine scandinave, elle a les cheveux courts et raides. Elle est mince.**

3. **M. Krim est d'origine arabe. C'est un homme d'une cinquantaine d'années. Il n'est ni mince ni gros.**

4. **Alec est chauve et costaud. Il a la quarantaine. Il est d'origine africaine.**

5. **Mme Labec a les cheveux courts. Elle est d'origine africaine. Elle a une trentaine d'années. Elle est très mince.**

Continued on next page

Maintenant, dites ce que les personnes suivantes vont porter selon les illustrations.

6. Aurélie

7. Mon fils

8. L'arbitre

9. Alain Laclasse

6. **Aurélie va porter un pantalon à rayures.** _____

7. **Mon fils va porter un pyjama à pois.** _____

8. **L'arbitre va porter un maillot à rayures.** _____

9. **Alain Laclasse va porter une veste à carreaux.** _____

6 Répondez aux questions d'après le dialogue des **Rencontres culturelles** de la **Leçon B**.

1. Qu'est-ce qu'on a volé de Karim et de Léo?

   On a volé leurs ordinateurs et le sac à dos de Léo.

2. Qui était assis à la table devant?

   Il y avait un couple assis à la table devant.

3. Faites la description du garçon.

   Il était mince, aux cheveux courts, une vingtaine d'années.

4. Et la jeune fille, comment était-elle?

   Elle avait le même âge, et était jolie, aux cheveux longs et noirs.

5. Pourquoi est-ce que Karim et Léo vont aller au commissariat?

   Ils vont remplir une déclaration de vol.

7 Répondez aux questions suivantes. Référez-vous aux **Points de départ** de la **Leçon B**.

La sécurité publique

1. Quels sont les deux forces qui assurent la sécurité publique en France?

   La police et la gendarmerie.

2. Qu'est-ce qui caractérise la gendarmerie?

   La gendarmerie est une force armée qui dépend du ministère de la Défense et du

   Ministère de l'intérieur.

3. Où est-ce que la gendarmerie assure la sécurité?

   Elle est chargée de mission de police dans les campagnes et dans les zones autour des

   grandes villes.

4. Spécifiquement, de quoi s'occupe la gendarmerie?

   Elle assure des missions d'enquêtes, de maintien de l'ordre, d'assistance et de secours, de

   circulation routière, et de police militaire.

La police

5. Il existe deux sortes de police en France, lesquelles? Laquelle a la plus grande autorité?

   Il y a la police nationale et la police municipale. La police nationale a la plus grande autorité.

6. Expliquez ce que c'est, les CRS.

   Les CRS ou les Compagnies républicaines de sécurité ont la permission d'utiliser la force

   pour arrêter les émeutes.

7. Quelle est une prison littéraire célèbre?

   Le château d'If est une prison littéraire célèbre.

8. Où se trouve cette prison?

   Elle se trouve dans une île près de Marseille.

9. Ses cachots sont décrits dans quel livre célèbre?

   Ses cachots sont décrits dans *Le comte de Monte-Cristo* par Alexandre Dumas.

8 Ces personnes ont perdu quelque chose. Vous voulez les aider. Répondez en utilisant **un pronom possessif.**

> **MODÈLE:** J'ai perdu ma montre.
> **Je te prête la mienne.**

1. Je n'ai pas mon ordinateur. ___Je te prête le mien.___

2. J'ai perdu ma clé USB. ___Je te prête la mienne.___

3. J'ai oublié mes stylos. ___Je te prête les miens.___

4. J'ai perdu mon dictionnaire. ___Je te prête le mien.___

5. J'ai perdu mes balles de tennis. ___Je te prête les miennes.___

6. J'ai oublié ma raquette. ___Je te prête la mienne.___

7. Je ne trouve pas mon guide de voyage. ___Je te prête le mien.___

9 R écrivez chaque phrase en remplaçant les mots en italiques par un **pronom possessif.**

> **MODÈLE:** C'est *mon DVD.*
> **C'est le mien.**

1. C'est *ton CD.* ___C'est le tien.___

2. Ce sont *leurs livres.* ___Ce sont les leurs.___

3. Ce sont *nos dictionnaires.* ___Ce sont les nôtres.___

4. C'est *sa trousse.* ___C'est la sienne.___

5. Ce sont *mes cahiers.* ___Ce sont les miens.___

6. C'est *votre stylo.* ___C'est le vôtre.___

7. C'est *ta clé USB.* ___C'est la tienne.___

10 Répondez à la question en utilisant un pronom possessif.

> **MODÈLE:** C'est ton T-shirt?
> **Oui, c'est le mien.**

1. C'est sa montre? _____ Oui, c'est la sienne. _____

2. Ce sont vos sacs de sport? _____ Oui, ce sont les nôtres. _____

3. Ce sont ses chaussures? _____ Oui, ce sont les siennes. _____

4. Ce sont leurs affaires? _____ Oui, ce sont les leurs. _____

5. C'est ta veste? _____ Oui, c'est la mienne. _____

6. C'est votre chemise? _____ Oui, c'est la mienne. _____

7. C'est notre ballon? _____ Oui, c'est le vôtre. _____

11 Dites à qui sont ces objets en employant un **adjectif possessif**.

> **MODÈLE:** À moi /les lunettes
> **Ce sont mes lunettes.**

1. À lui/le portable _____ C'est son portable _____

2. À eux /les livres _____ Ce sont leurs livres. _____

3. À nous /les Ipad _____ Ce sont nos Ipad _____

4. À vous /le CD _____ Ce sont vos CD. _____

5. À elle /le sac _____ C'est son sac. _____

6. À toi /la valise _____ C'est ta valise. _____

7. À moi /les affaires de sport _____ Ce sont mes affaires de sport. _____

12 Vous croyez que tout que vous avez est plus beau! Comparez en utilisant **un pronom possessif**.

> MODÈLE: ta voiture
> **La mienne est plus belle que la tienne.**

1. tes soeurs _____ Les miennes sont plus belles que les tiennes. _____

2. son jardin _____ Le mien est plus beau que le sien. _____

3. ton costume _____ Le mien est plus beau que le tien. _____

4. ses nouvelles chaussures _____ Les miennes sont plus belles que les siennes. _____

5. sa pelouse _____ La mienne est plus belle que la sienne. _____

6. leurs arbres _____ Les miens sont plus beaux que les leurs. _____

7. votre chienne _____ La mienne est plus belle que la vôtre. _____

13 Pendant une conversation vous parlez des personnes que vous connaissez. Faites des comparaisons en utilisant **un pronom possessif**.

> MODÈLE: Ma meilleure amie est d'origine scandinave. (d'origine méditerranéenne)
> **La mienne est d'origine méditerranéenne.**

1. Mon meilleur ami est d'origine africaine. (d'origine arabe)

   Le mien est d'origine arabe. _____

2. Ma meilleure copine a les yeux verts. (les yeux bleus)

   La mienne a les yeux bleus. _____

3. Notre prof d'histoire a les cheveux bouclés. (les cheveux frisés)

   Le nôtre a les cheveux frisés. _____

4. Nos tantes ont une trentaine d'années. (une quarantaine d'années)

   Les nôtres ont une quarantaine d'années. _____

5. Mon chien est gros. (mince)

   Le mien est mince. _____

6. Mes cousins sont costauds. (maigres)

   Les miens sont maigres. _____

7. Mon grand-père est fort. (faible)

   Le mien est faible. _____

Leçon C

1 Dites comment **vous vous sentez** dans les situations suivantes. Complétez votre phrase avec un mot de vocabulaire de la liste.

accablé   surexcité   choqué   frustré   seul   surpris

MODÈLE: C'est toi? Je ne m'attendais pas à te voir!
Je me sens surpris(e).

1. Personne ne pense à moi, personne ne me téléphone. _____ **Je me sens seul(e).** _____

2. Vraiment, mon ordinateur ne marche comme il faut aujourd'hui! **Je me sens frustré(e).** ____

3. J'ai des heures et des heures à passer à préparer mon bac! _____ **Je me sens accablé(e).** ____

4. Tu es sûr? C'est incroyable! Je ne m'y attendais pas! _____ **Je me sens surexcité(e).** _____

5. Ce n'est pas possible! Je ne crois pas qu'une chose tellement horrible puisse arriver!

    Je me sens choqué(e). _____

2 Complétez la phrase logiquement.

MODÈLE: Je suis vraiment surexcité(e) **quand je sais que je vais faire un voyage en France!**

1. Je me sens un peu frustré(e) _____ *Answers will vary.* _____

2. Je suis tout à fait choqué(e) _____

3. Je me sens vraiment accablé(e) _____

4. Je suis surexcité(e) _____

5. Je suis complètement surpris(e) _____

6. Je me sens seul(e) _____

3 Complétez la phrase avec un mot ou une expression de la liste.

Je ne m'y attendais pas   liquette   seul(e)
charme   délavé   idée
accablé(e)   tout à fait

1. Te vois ce beau garçon entouré de filles là-bas? Il a du _____charme_____, non?

2. Tu aimes cette chemise? Oui, j'aime beaucoup cette _____liquette_____.

3. Tout le monde a adoré la nouvelle chanson que j'ai écrite! Quelle réaction du public!

   _____Je ne m'y attendais pas_____ du tout!

4. Vous avez pensé à mettre votre vidéo sur Internet? Oui, j'ai eu l'_____idée_____, mais je ne l'ai pas encore fait.

5. Elle était complètement choquée! Oui, elle était _____tout à fait_____ choquée!

6. J'ai vraiment trop à faire. Je me sens complètement _____accablé(e)_____.

7. Qu'est-ce tu vas porter au concert? Ma liquette préférée, un jean _____délavé_____, et mes baskets, je crois.

8. Il n'a personne chez moi ce weekend. Je me sens vraiment _____seul(e)_____.

4 Répondez aux questions d'après le dialogue des **Rencontres culturelles** de la **Leçon C**.

1. Où est-ce qu'Élodie a rencontré ce groupe de garçons?

   Elle a rencontré ce groupe de garçons au mariage de son cousin.

2. Comment est-ce qu'ils étaient habillés?

   Ils étaient habillés en jean blues délavés, en liquettes, et en baskets orange comme pour un show.

3. Où est-ce qu'ils avaient déjà chanté?

   Ils avaient déjà chanté dans un chœur de gospel à Genève.

4. Pourquoi les a-t-elle filmés?

   Ils étaient très photogéniques et elles trouvaient qu'ils avaient du talent et du charme.

5. Comment la vidéo s'est-elle retrouvée sur You Tube?

   Elle a commencé à montrer la vidéo à ses copines; quelques-unes ont complètement

   craqué, et voilà comment la vidéo s'est retrouvée sur YouTube.

6. Est-ce qu'Élodie s'attendait au succès de la vidéo?

   Non, elle ne s'y attendait pas.

5 Répondez aux questions suivantes. Référez-vous aux **Points de départ** de la **Leçon C**.

Internet et les réseaux sociaux chez les jeunes

1. Caractérisez le rapport des jeunes français aux technologies numériques.

   Answers will vary.

2. Ils utilisent le web pour faire quoi?

   Les élèves utilisent le web pour leurs devoirs, et pour échanger, télécharger, jouer,

   s'informer, chercher, publier, et acheter.

3. Quel rapport les jeunes Français ont-ils avec la légalité?

   Les jeunes s'affranchissent volontiers des droits et des interdits: pour la musique et la

   vidéo, avec la loi HADOPI contre le téléchargement illégal, ils ont recours désormais au

   streaming, préféré au P2P.

4. Sur quoi portent les campagnes de prévention?

   Il existe une campagne de mise en garde qui invite les jeunes à ne pas poster n'importe

   quoi sur Internet et à ne pas publier la photo d'un ami, camarade, ou d'une connaissance

   sans son accord.

6 Complétez l'entretien avec un **adjectif indéfini**. Choisissez un mot de la liste.

tel   plusieurs   mêmes   aucune   tous   autre

1. Vous avez gagné beaucoup de prix?

   Oui, j'ai gagné _____plusieurs_____ prix.

2. Vraiment? Et vous n'avez pas reçu d'offres d'emploi?

   Non, je n'ai reçu _____aucune_____ offre d'emploi.

3. Tu as reçu quel prix? Le Prix d'excellence?

   Non, ce n'était pas le Prix d'excellence. J'ai reçu un _____autre_____ prix, le Prix d'honneur.

4. Vous savez que maintenant beaucoup de personnes vont vous reconnaître.

   Oui, je sais. _____Tous_____ les grands lecteurs vont me reconnaître.

5. Tu t'attendais à un pareil succès?

   Non, je ne m'attendais pas à un _____tel_____ succès.

6. Tu as lu les critiques?

   Non, elles sont toutes identiques. Elles racontent toujours les _____mêmes_____ choses!

7 Faites correspondre la question ou la phrase avec la ligne de la conversation qui suivrait logiquement.

_____ B _____ 1. Paris est magnifique, n'est-ce pas?

_____ E _____ 2. Ma cousine, Corinne, insiste d'habiter à Paris.

_____ F _____ 3. Elle a des amis à Paris, n'est-ce pas?

_____ A _____ 4. Quelques-uns de ses amis habitent dans l'appartement d'à côté, n'est-ce pas?

_____ C _____ 5. Elle a d'autres amis qui viennent lui rendre visite, n'est-ce pas?

_____ D _____ 6. Il paraît qu'elle ne va jamais quitter Paris.

A. Non, aucun de ses amis n'habite dans son quartier.
B. C'est vrai! Avez-vous jamais vu une telle ville!?
C. Oui, elle a plusieurs amis qui viennent la voir chaque été.
D. Je n'en ai aucun doute. Elle va y rester longtemps!
E. Certainement, elle ne va pas habiter dans n'importe quelle ville!
F. Oui, en fait, elle a plusieurs amis qui habitent dans la capitale.

8 Récrivez chaque phrase en remplaçant les mots en italiques par **un pronom indéfini** qui a une signification équivalente. Choïsissez un mot de la liste.

certains   tous   la plupart   aucun ne   plusieurs

1. *Pas une seule personne* n'avait vu le film.

   Aucun n'avait vu le film.

2. *Quelques personnes* en avaient entendu parler.

   Plusieurs en avaient entendu parler.

3. *Le groupe entier* était jaloux de ne pas l'avoir vu.

   Tous étaient jaloux de ne pas l'avoir vu.

4. *Deux ou trois personnes* espéraient pouvoir le trouver en DVD.

   Certains espéraient pouvoir le trouver en DVD.

5. *La majorité* voulait le chercher sur Internet.

   La plupart voulait le chercher sur Internet.

9 Complétez avec un **pronom indéfini** de la liste.

n'importe qui   quelque chose   quelqu'un   autre   tous les deux

1. Tu as vu qui?

   J'ai vu _____quelqu'un_____ de blond. Je pense que c'était lui.

2. Et il était tout seul?

   Non, _____tous les deux_____ sont venus.

3. Mais tu es sûr que c'était eux?

   Non, ça pouvait être _____n'importe qui_____ .

4. Mais ils étaient comment?

   Ils étaient debout l'un à côté de l'_____l'autre_____ .

5. Et il y avait _____quelque chose_____ de spécial qui aurait permis de les reconnaître?
   Non, pas vraiment.

10 Selon vous, c'est quelle sorte de personne? Exprimez votre opinion en utilisant l'expression, **c'est quelqu'un de...** et finissez votre phrase avec un mot de vocabulaire de la liste.

timide	intelligent	généreux	amusant
charmant	paresseux	sérieux	intéressant

MODÈLE: Il fait ses études dans une grande école. Il étudie à la faculté de médecine.
À mon avis c'est quelqu'un d'intelligent.

1. Il fait rire tout le monde. Il est tellement drôle.

   À mon avis, c'est quelqu'un d'amusant. _____

2. Il fait tout ce qu'il faut pour ses cours, étudie tous les soirs, et reçoit de très bonnes notes.

   À mon avis, c'est quelqu'un de sérieux. _____

3. Il fait souvent des dons aux pauvres et fait des voyages de bénévolats.

   À mon avis, c'est quelqu'un de généreux. _____

4. Il ne fait jamais rien! Il ne travaille pas à la maison et ne fait aucun effort à l'école!

   À mon avis, c'est quelqu'un de paresseux. _____

5. Il n'aime pas du tout faire des discours ou des présentations devant la classe.

   À mon avis, c'est quelqu'un de timide. _____

6. Il a toujours des histoires incroyables à raconter.

   À mon avis, c'est quelqu'un d'intéressant. _____

7. Lui, il est tellement beau, bien habillé, et gentil. Tout le monde l'adore!

   À mon avis, c'est quelqu'un de charmant. _____

Unité 10

Leçon A

1 Faites correspondre ces produits de luxe avec la catégorie à laquelle ils appartiennent.

_____E_____ 1. un vase

_____A_____ 2. le parfum

_____D_____ 3. un sac à main

_____B_____ 4. une bague

_____C_____ 5. la haute couture

_____F_____ 6. le champagne

_____E_____ 7. une figurine

_____B_____ 8. un collier

_____D_____ 9. les bagages

_____B_____ 10. une montre

_____A_____ 11. la crème pour la peau

_____F_____ 12. le pâté de foie gras

_____A_____ 13. le mascara

A. les produits de beauté
B. la joaillerie
C. la mode
D. la maroquinerie
E. la faïence
F. les produits alimentaires

2 Complétez avec un mot ou une expression de vocabulaire. Choisissez de la liste.

fabriquée	champagne	faïence	mascara	montre
marque	craignais	alimentaire	vase	joaillerie
bague	maroquinerie	peau	haute couture	

MODÈLE: Si je veux me faire les yeux, j'achète du **mascara**.

1. Si je veux composer un bouquet de fleurs, je cherche un _____ **vase** _____.

2. Si je veux me parfumer, j'aime acheter du parfum de _____ **marque** _____ Chanel.

3. Si je veux savoir l'heure, j'ai besoin d'une _____ **montre** _____.

4. C'est une fête importante. On va boire du _____ **champagne** _____ avec le repas.

5. Si un homme veut demander à une fille de se marier avec lui, le bijou qu'il a besoin

   d'acheter est une _____ **bague** _____.

6. Un produit de beauté que j'utilise souvent est la crème pour la _____ **peau** _____.

7. Comme entrée, le produit _____ **alimentaire** _____ que je veux servir est le pâté du foie gras.

8. Est-ce que cette robe vient des États-Unis? Non, elle a été _____ **fabriquée** _____ en France.

9. Catherine s'intéresse beaucoup à la mode. Elle porte des robes de _____ **haute couture** _____.

10. Ma mère aime la _____ **maroquinerie** _____, donc, je vais lui acheter un sac à main comme cadeau.

11. C'est bien ce que je _____ **craignais** _____! Ce sac de Luis Vuitton est bien trop cher. Je ne le prends pas.

12. Aimes-tu les bijoux? Oui, j'adore la _____ **joaillerie** _____.

13. Ces assiettes sont en _____ **faïence** _____, n'est-ce pas?

3 Dites où les objets suivants ont été fabriqués. Suivez le **Modèle**.

>   **MODÈLE:**   Ce vase vient de Chine.
>   **Ce vase a été fabriqué en Chine.**

1. Cette voiture vient du Japon.

   Cette voiture a été fabriquée au Japon. _____

2. Ces bracelets viennent d'Inde.

   Ces bracelets ont été fabriqués en Inde. _____

3. Ce sac à main vient de Jordanie.

   Ce sac à main a été fabriqué en Jordanie. _____

4. Ce tapis vient du Sri Lanka.

   Ce tapis a été fabriqué au Sri Lanka. _____

5. Cette montre vient de Corée du sud.

   Cette montre a été fabriquée en Corée du sud. _____

6. Cette crème pour la peau vient des Philippines.

   Cette crème pour la peau a été fabriquée aux Philippines. _____

7. Cette joaillerie vient d'Indonésie.

   Cette joaillerie a été fabriquée en Indonésie. _____

Nom: _____ Date: _____

4 Écrivez une phrase qui dit la marque logique de chaque produit français.

       MODÈLE: un parfum: Limoges ou Chanel?
                    C'est un parfum de marque Chanel.

1. une montre: Cartier ou L'Oréal?

    C'est une montre de marque Cartier.

2. une robe: Limoges ou Nina Ricci?

    C'est une robe de marque Nina Ricci.

3. un champagne: Luis Vuitton ou Moët et Chandon?

    C'est un champagne de marque Moët et Chandon.

4. un vase: Limoges ou L'Oréal?

    C'est un vase de marque Limoges.

5. une crème pour la peau: Clarins ou Moët et Chandon?

    C'est une crème pour la peau de marque Clarins.

6. des bagages: Luis Vuitton ou Montfort et Bizac?

    Ce sont des bagages de marque Luis Vuitton.

7. un parfum: Longchamp ou Givenchy?

    C'est un parfum de marque Givenchy.

8. un pâté de foie gras: Montfort et Bizac ou Sèvres?

    C'est un pâté de foie gras de marque Montfort et Bizac.

5 Répondez aux questions d'après le dialogue des **Rencontres culturelles** de la **Leçon A**.

1. Pourquoi est-ce qu'Élodie ne prend pas le premier cadeau qu'elle a choisi?

   Il n'a pas été fabriqué en France. Il a été fabriqué en Malaisie.

2. Quels sont les produits les plus typiquement français?

   Les produits le plus typiquement français sont des produits de luxe: un parfum, des

   produits de beauté, les produits alimentaires, la mode, la maroquinerie….

3. Pourquoi décide-t-elle de ne pas acheter des produits de luxe?

   Elle n'a pas les moyens de les acheter.

4. Finalement, qu'est-ce qu'elle choisit comme cadeau?

   Elle choisit un foulard en soie.

6 Répondez aux questions suivantes. Référez-vous aux **Points de départ** de la **Leçon A**.

La France et la mondialisation

1. D'après les sondages, qu'est-ce qui indique que la France a peur de la mondialisation?

   Près des deux tiers (60%) des Français considèrent la mondialisation comme une menace.

2. Par contre, il y a des indications que la France profite de la mondialisation. Quelle est sa position mondiale comme…

   A. puissance mondiale?

   La France est la cinquième puissance mondiale économique.

   B. exportateur en général?

   C'est le sixième pays exportateur du monde.

   C. spécifiquement exportateur des biens?

   C'est le cinquième exportateur du monde des biens.

   D. exportateur des services?

   Elle est quatrième pour les services.

   E. exportateur des produits agricoles et agroalimentaires?

   Elle est troisième pour les produits agricoles et agroalimentaires.

L'industrie de luxe

3. La France a quel rang au marché mondial pour les produits de luxe?

   La France a 40% du marché mondial pour les produits de luxe.

4. Quels sont des grandes compagnies françaises qui contrôlent les marques comme Vuitton, Hennessy, Moët et Chandon, Dior, etc.?

   LVMH et PPR contrôlent ces marques.

5. Expliquez ce que c'est «les flagships.» Nommez quelques stars qui les représentent.

   «Les flagships» sont des véritables usines à rêve sur les plus grandes avenues du monde.

   Certaines stars qui les représentent sont Charlize Theron, Marion Cotillard, et Jude Law.

6. Quel pays est premier au marché mondial pour acheter des produits de luxe français? Lequel est quatrième?

   Les États-Unis sont les premiers à acheter des produits de luxe français. La Chine est

   quatrième.

Leçon B

1 Faites correspondre ces types de compagnies avec leurs définitions. Choisissez une expression de la liste.

> une PME   une société anonyme   une multinationale
> un leader   le siège social   une filiale

1. Elle a des filiales dans plusieurs pays. __une multinationale__

2. Elle est la propriété de ses actionnaires. __une société anonyme__

3. C'est l'établissement principal où la stratégie de la société s'établit. __le siège social__

4. C'est une entreprise qui domine son marché. __un leader__

5. Petite entreprise unique qui est très spécialisée. __une PME__

6. Une entreprise implantée dans un pays qui dépend de la société mère. __une filiale__

2 Complétez avec un mot ou expression de vocabulaire de la liste.

> société anonyme   multinationale   directeur
> actionnaires   filiales   PME

Mon père a créé son entreprise il y a une quarantaine d'années. Elle emploie 120 personnes.

C'est une (1) __PME__. Autrefois on travaillait en indépendant, mais

aujourd'hui sa compagnie fait du travail pour une grande compagnie

(2) __multinationale__ qui a plusieurs (3) __filiales__ aux États-Unis.

À cause du risque industriel, mon père a transformé son entreprise individuelle en

(4) __société anonyme__ qui a des (5) __actionnaires__. C'est mon frère qui a

pris la place de mon père comme (6) __directeur__ et moi je suis cadre chargé du

développement.

3 Récrivez chaque phrase en remplaçant les mots en italiques par un mot ou une expression de vocabulaire de la liste.

> MODÈLE: Mon oncle travaille pour une grande *compagnie* internationale.
> **Mon oncle travaille pour une grande entreprise internationale.**

Le siège social	multinationale	entreprise	m'éloigner
une PME	longtemps	une SA	une société

1. C'est *une société qui a des actionnaires.*

   C'est une SA. _____

2. La compagnie de mon père, c'est *une petite et moyenne entreprise.*

   La compagnie de mon père, c'est une PME. _____

3. Carrefour est un exemple d'*une compagnie créée par des groupes commerciaux.*

   Carrefour est un exemple d'une société. _____

4. Danone est une entreprise *avec des filiales dans beaucoup de pays.*

   Danone est une entreprise multinationale. _____

5. *L'établissement principal* de la compagnie est à Paris.

   Le siège social de la compagnie est à Paris. _____

6. Ça fait *beaucoup de temps* que je travaille pour Danone.

   Ça fait longtemps que je travaille pour Danone. _____

7. Je voulais *habiter loin* de la capitale.

   Je voulais m'éloigner de la capitale. _____

4 Répondez aux questions d'après le dialogue des **Rencontres culturelles** de la **Leçon B**.

1. Pour quel cours à l'université est-ce que Léo doit interviewer quelqu'un?

   Il doit interviewer quelqu'un pour son cours de marketing.

2. Il doit interviewer quelle sorte de personne?

   Il doit interviewer quelqu'un qui travaille pour une compagnie multinationale.

3. Quel est l'ocupation du copain de Léo?

   Il est auditeur libre.

4. Ça fait combien de temps que Dennis est en France?

   Dennis est en France depuis deux ans.

5. C'est quel genre de compagnie, Danone?

   Danone est un groupe agroalimentaire qui est le leader mondial dans la production de

   produits laitiers frais.

6. Où est le siège social de Danone?

   Le siège social de Danone est à Paris dans le 9ème arrondissement.

7. Quel est le but de Dennis ce weekend?

   Il veut s'éloigner de la capitale et trouver du soleil.

8. Quelles sont les responsabilités de Dennis au travail?

   Il travaille pour le département de marketing sur des stratégies pour lancer les produits

   de Danone dans des pays anglophones.

9. Où est-ce que Dennis a étudié et en quoi est-ce qu'il s'est spécialisé?

   Il a étudié à Thunderbird en Arizona, et il s'est spécialisé en gestion et en français.

10. Et comment est-ce qu'il a pu travailler à Danone?

   L'université lui a trouvé un stage à Danone.

5 Répondez aux questions suivantes. Référez-vous aux **Points de départ** de la **Leçon B**.

La France et la concurrence mondiale

1. Comme entreprises, la France a combien de leaders mondiaux?

   Au total, la France a quatorze leaders mondiaux.

2. Nommez quelques entreprises françaises et les secteurs avec lesquels ils sont associés.

   Answers will vary.

   _____

3. Identifiez…

   A. Ariane

   La France a lancé plusieurs fusées sous le nom d'Ariane.

   B. l'ESA

   L'ESA est l'Agence spatiale européenne.

4. Où est-ce qu'il y a un centre spatial où La France lance des fusées?

   On lance les fusées Ariane du centre spatial de Kourou en Guyane française.

Le commerce entre la France et les États-Unis

5. La France a quel rang comme nation commerçante de l'Europe de l'Ouest?

   La France est la deuxième nation commerçante de l'Europe de l'Ouest, derrière l'Allemagne.

6. Parlez du commerce entre la France et les États-Unis.

   Récemment, l'échange des biens et services entre la France et les États-Unis a atteint 67

   milliards de dollars. La France est le huitième partenaire commercial des États-Unis.

7. Quelles sortes de produits sont exportés de la France vers les États-Unis?

   Answers will vary.

   _____

8. Parlez aussi des genres de produits exportés des États-Unis vers la France.

   Answers will vary.

   _____

Continued on next page

Bonnes manières

9. Est-ce qu'il faut être à l'heure pour une réunion ou un rendez-vous d'affaires en France?

    Les rendez-vous et réunions commencent en général à l'heure, pourtant on peut arriver

    jusqu'à cinq minutes en retard.

10. Parlez de l'usage du «vous» et du «tu» pendant les réunions d'affaires.

    On dit automatiquement «vous» au premier contact; si le «tu» doit s'imposer, il le fera

    naturellement.

11. Comment est-ce qu'un repas d'affaires est différent maintenant du repas traditionnel français?

    Les repas d'affaires sont plus courts (une heure maximum), et réduits à entrée-plat ou plat

    -dessert.

12. Qui précède pour entrer dans un restaurant ou monter dans un escalier, l'homme ou la femme?

    L'homme précède la femme pour entrer dans le restaurant et pour monter à un escalier.

13. Comment est-ce qu'il faut payer à la fin du repas?

    Il faut payer discrètement, en se déplaçant à la caisse.

14. Pour une invitation à domicile est-ce qu'il faut être à l'heure?

    Il faut arriver après l'heure (dix minutes à un quart d'heure maximum) pour une

    invitation amicale, à l'heure si c'est un dîner privé.

15. C'est de bon goût d'offrir quel gendre de cadeau à l'hôtesse?

    Selon le degré d'officialité, on peut offrir des fleurs, ou une bouteille de vin si c'est un

    dîner plus amical.

Leçon C

1 Pour chaque département ou service, écrivez le nom du poste qui y est associé.

> **MODÈLE:**   la comptabilité: **le comptable, la comptable**

1. le service des ventes: _____ le vendeur, la vendeuse _____

2. l'accueil: _____ le secrétaire, la secrétaire _____

3. le recrutement et la gestion du personnel:

   _____ le/la DRH (directeur/directrice des ressources humaines) _____

4. le service du marketing: _____ le/la responsable marketing _____

5. la gestion: _____ le/la chef du groupe _____

6. la stratégie pour diriger la compagnie:

   _____ le/la PDG, le/la chef d'entreprise, le directeur financier/la directrice financière _____

7. le service après-vente: _____ le/la chef de service _____

2 Faites correspondre la description du travail au poste d'entreprise.

A. la vendeuse   E. le directeur ou le PDG de l'entreprise
B. le chef du groupe   F. la directrice des ressources humaines
C. le comptable   G. la responsable marketing
D. la secrétaire

_____ F _____ 1. Elle interviewe un candidat pour un poste.

_____ G _____ 2. Elle propose une campagne publicitaire pour un nouveau produit.

_____ C _____ 3. Il prépare un document financier.

_____ B _____ 4. Il est responsable de la gestion de la société.

_____ E _____ 5. Il établit la stratégie pour diriger la compagnie.

_____ A _____ 6. Elle vend les produits de l'entreprise.

_____ D _____ 7. Elle répond au téléphone, tape les documents, et accueille les clients.

3 Répondez **vrai** ou **faux** aux questions d'après le dialogue des **Rencontres culturelles** de la **Leçon C**. Si la réponse est fausse, corrigez la phrase.

1. Léo et Justin parlent du cours de comptabilité.

   Faux. Léo et Justin parlent du cours de marketing.

2. Léo remarque que 3M est une entreprise qui fabrique des voitures.

   Faux. Léo remarque que 3M est une entreprise qui fabrique les rouleaux de Scotch, des Post-it™, et les éponges Scotch-Brite™.

3. McDo et Subway vendent de la bière et du café expresso pour s'adapter au goût des français.

   Vrai.

4. Aux Philippines, ils proposent des hamburgers au porc.

   Faux. En Allemagne, ils proposent des hamburgers au porc.

5. L'Oréal fabrique des produits de maquillage adaptés à certaines couleurs de peau.

   Vrai

6. Léo compte travailler pour une compagnie internationale.

   Faux. Léo n'a pas encore pris sa décision, mais la possibilité de travailler pour une compagnie internationale l'intéresse.

4 Répondez aux questions suivantes. Référez-vous aux **Points de départ** de la **Leçon C**.

La structure de l'entreprise en France

1. Décrivez la structure traditionnelle de l'entreprise française.

   C'est une structure hiérarchique avec un président qui dirige la compagnie.

   _____

2. Donnez un exemple de la manière dont la structure de l'entreprise a commencé à changer.

   Un exemple de ce changement est la coopérative qui dépend des valeurs de partage,

   d'humanisme, de transparence, et de participation.

3. Pourquoi est-ce qu'il faut changer le modèle traditionnel?

   Il faut changer le modèle traditionnel pour réussir dans le marché mondial.

Le marketing en France

4. Comment ou à partir de quelle nouvelle invention se faisait la publicité pendant les périodes suivantes de l'histoire?

   A. De 1850 de 1920? _____ À partir de l'affiche. _____

   B. Les années 1920? _____ À partir de la radio. _____

   C. De 1950 à 1973? _____ À partir de la télévision. _____

   D. De nos jours? _____ En ligne. _____

5. Quand est-ce que le publicitaire a commencé à travailler dans une agence?

   Entre les deux guerres mondiales.

6. Pour quel genre d'art est-ce que Toulouse-Lautrec était surtout connu?

   Il était surtout connu pour ses affiches de cafés, théâtres, et cabarets de Paris.

7. Avant 1945, quel était le problème le plus grave des entreprises?

   C'était la capacité de production.

8. Qu'est-ce qui a changé comment on approchait le marketing en France pendant les années 1950?

   Les sondages d'opinion ont changé la manière dont on approchait le marketing.

9. Pourquoi est-ce que la publicité française se découvrait pendant les années 1960?

   Parce que c'était une période de prospérité avec un grand groupe de consommateurs,

   les baby-boomers.